New Associationist Manifesto

柄谷行人 *Karatani Kojin*

ニュー・アソシエーショニスト宣言

作品社

New Associationist Manifesto

ニュー・アソシエーショニスト宣言

柄谷行人

〈II〉 さまざまなアソシエーション

2 アソシエーションとデモ 163

付録

序文

柄谷行人

本書は、アソシエーショニスト・運動(ムーブメント)を検証し、その可能性をあらためて示すものである。アソシエーショニスト運動というのは、私が提起したものではない。むしろ、一般名詞である。簡単にいうとこれは、自由かつ平等な社会を実現するための運動である。アソシエーショニスト運動の歴史は長く、内容は多様である。そして、もちろん現在も存続している。私は、これは誰にでも実践できるものであり、現在のもろもろの危機への最後の砦となるものだと考えている。

私が、友人たちとともにNAMという一つのアソシエーショニスト運動の組織を発足させたのは二〇〇〇年のことである。これは、私が当時雑誌に連載した『トランスクリティーク――カントとマルクス』で提示した、カントとマルクスの総合、アナーキズムとマルクス主義の総合を、実践的レベルで追求するための試みであった。NAMは、次の五箇条をプログラムとして掲げていた。この詳しい解説は、巻末の付録に収録した「NAMの原理」の「プログラム解説」(二二六頁)を参照されたい。

（1）

NAMは、倫理的‐経済的な運動である。カントの言葉をもじっていえば、倫理なき経済はブラインドであり、経済なき倫理は空虚であるがゆえに。

（2）

NAMは、資本と国家への対抗運動を組織する。それはトランスナショナルな「消費者としての労働者」の運動である。それは資本制経済の内側と外側でなされる。もちろん、資本制経済の外部に立つことはできない。ゆえに、外側とは、非資本制的な生産と消費のアソシエーションを組織するということ、内側とは、資本への対抗の場を、流通（消費）過程に置くということを意味する。

（3）

NAMは、「非暴力的」である。それはいわゆる暴力革命を否定するだけでなく、議会による国家権力の獲得とその行使を志向しないという意味である。なぜなら、NAMが目指すのは、国家権力によっては廃棄することができないような、資本制貨幣経済の廃棄であり、国家そのものの廃棄であるから。

（4）

NAMは、その組織形態自体において、この運動が実現すべきものを体現する。すなわち、それは、選挙のみならず、くじ引きを導入することによって、代表制の官僚制的固定化を阻み、参加的民主主義を保証する。

（5）

ＮＡＭは、現実の矛盾を止揚する現実的な運動であり、それは現実的な諸前提から生まれる。いいかえれば、それは、情報資本主義的段階への移行がもたらす社会的諸矛盾を、他方でそれがもたらした社会的諸能力によって超えることである。したがって、この運動には、歴史的な経験の吟味と同時に、未知のものへの創造的な挑戦が不可欠である。

しかし、もろもろの事情から、このＮＡＭは二〇〇二年の一二月をもって解散となった。私がそのような運動を考えるようになった背景については、また解散の経緯については、本書に詳しく記した。組織がなくなってからも私は、アソシエーションの運動を細々と続けてきた。生活協同組合運動や反原発デモに参加し、また近所での小さな勉強会「長池講義」を立ち上げ定期的に開催してきた。ＮＡＭのもとメンバーたちとの交流も続いている。そのうちの多くは、ＮＡＭを通じて知り合った、出版業界とも大学とも関係のない人たちである。

また、ＮＡＭ開始以降の私の著作はすべて、アソシエーショニスト運動と深い関わりがある。その意味で、私はこの二〇年間、ＮＡＭについて考え続けてきた、ともいえる。しかし、二〇〇〇年に私たちが立ち上げたＮＡＭという一つの組織について、またそのときに書いた「ＮＡＭの原理」（これを収録した『ＮＡＭ原理』は、ＮＡＭの解散後に絶版とした）について再考し、活字にしておこうという考えをもつにいたったのは、二〇一四年に、あるインタビューの依頼があったためである。これは、ともに長年の友人である故高瀬幸途氏と丸山哲郎氏が、当時編集していた『社会運動』という雑誌のために立てた企画だった。

　絶版になったはずの「ＮＡＭの原理」だったが、誰かがウェブに載せた英語版がウェブ上に残っていた。諸外国から、ときどき、それについて問い合わせがくるので、そのことを意識するようになった。たとえば、韓国、中国、台湾、香港のほかにも、クロアチアやスロヴェニア、アイルランド、インド、ベネズエラ、メキシコ、コロンビア、トルコのクルド人グループからなど、思いもかけないところからも連絡があり、それが今日まで続いている。

　このように「ＮＡＭの原理」がまだ参照されているのであれば、改訂して発表する必要があるかもしれない、と漠然と考えながらも、とりかかれないまま長い年月が過ぎていた。だから、二〇一四年にＮＡＭについて考察するインタビューの企画がもちあがったときには、その仕事を完成させるよい機会かもしれない、と考えて引き受けたのである。

　本書の第Ⅰ部は、このときのインタビューを加筆・修正したものである。これは、組織としてのＮＡＭの推移を振り返りながら、アソシエーション運動の歴史を検証する形になっている。第Ⅱ部は、アソシエーション運動のさまざまな形態に関わる、インタビューや講演を集めたものである。巻末には「ＮＡＭの原理」を、「ＮＡＭ結成のために」、「ＦＡ宣言」とともに付した。これらは改訂するつもりでいたのだが、読み返してみたところ、そのままでよいと感じた。よって、ほぼ当初のまま収録することにした。当時はインターネットの普及率が非常に低かったことなど、時代の違いを感じさせるところも若干あるが、そのままにした。

二〇一九年末から顕在化したコロナ疫病の流行があったため、多くのアソシエーションは、これまで経験したことのない類の困難に直面することになった。本書の刊行もそれで遅れた。しかし、この間、アソシエーショニスト運動は、見直されてきたのではあるまいか。生産、流通、金融などの現在の諸システムの問題点が浮き彫りになったためだろう、多くの人が自給自足や地域のネットワークなどの重要性に気づきはじめたようだ。事実、我が家の近所でも、庭や屋上で家庭菜園を始める人が増えている。

私は、未来の社会は「向こうからくる」といってきた。これは、自分の意図や企画を超えて起こる、という意味である。実際、NAMを立ち上げたのも、その一貫として「批評空間社」という出版社を立ち上げたのも、依頼を断わりきれなかったり、事情にせまられたりして、しかたなくという流れの中であった。つまり、それらは「向こうからきた」のである。同様の意味で、コロナをきっかけに、困難とともに、新たなアソシエーションの可能性が向こうからきた、といえるのではないだろうか。

二〇二〇年一一月一七日

〈I〉

NAM
（ニュー・アソシエーショニスト運動）
再考

New
Associationist
Manifesto

1 NAMの開始と解散

NAM創設へいたる過程

──（聞き手：高瀬幸途）一九九九年に柄谷さんは『トランスクリティーク』の雑誌連載（『群像』）を終え、同年末に社会運動の会合場所として大阪にスペースAKを立ち上げ、翌二〇〇一年六月に、資本と国家に対抗する運動体として、NAM（New Associationist Movement）を提唱し、『NAM原理』（本書の付録に収録、二一七頁）を公表されました。

NAMは中央集権的「党」ではなく、資本主義社会の内部での運動とその外に出る運動（非資本主義的な経済圏の創出）のアソシエーションで、一時期は七〇〇人のメンバーが参加しました。さまざまな政治・社会領域の活動（プロジェクト）とともに、地域（市民）通貨の創出を重視しました。柄谷さんがこのような運動を開始されたことは、各界に大きな衝撃を与えたのです。それは二年半後に解散された。しかし、ある意味では、それはその後に、さまざまな形をとって広がっていると感じます。それは、その時点で発表された「FA宣言」（本書の付録に収録、二八一頁）の中に示されています。その最後に、こう書かれています。《「NAM原理」は、もはや現実の組織と無縁となる以上、私の著作として自由に書き直すということにさせていただく》。その後に、柄谷さんはこう書いています。「『NAM原理』は、二〇〇〇年の時点で存在した組織のために書いたのですが、二年で解散したから、それ以後は、一般名詞です。つまり、それは「新しいアソシエーショニスト運動」という意味ですから、二〇〇〇年の時点にあったものに限定する必要はありません」（『政治を語る』二〇一二年、のちに『政治と思想』平凡社ライブラリー）。

また、「二〇〇一年の9・11以降、僕は資本・国家への対抗運動を、一国だけで考えることはできないと思うようになりました。そういう観点から考えなおしたのが、『世界史の構造』（二〇一〇年）です。といっても、根本的なところは同じです」とも書かれていて、NAM原理再考への視点を提示なさっています。

前置きが長くなりましたが、NAM原理の再考そのものに入っていく前に、現在、私たちが置かれている世界と日本の状況について概括的なお話をお願いします。先ず、NAMの創設にいたる過程について伺いたい。一九九〇年のソ連圏の崩壊とともに、社会主義、あるいはマルクス主義の終わりがいわれるようになった。その中で、柄谷さんは、一九九三年ごろから、「探究Ⅲ」（『群像』）というエッセイを連載された。しかし、一度それを中断し、九八年に再開されたときに、「トランスクリティーク」と改称された。それは、大きな転換を意味します。

この転換は次のようなものだといえます。マルクス主義（唯物史観）が社会の歴史を生産様式から考えているのに対して、柄谷さんは交換様式から考えるという大きな転換をおこなった。さらに、そこから史的唯物論（唯物史観）を再構築することを続けてこられた。NAMの理論の根底に、この「交換様式」という考えがあります。そこで、先ず、「探究Ⅲ」の連載を開始された時点について、伺いたいと思います。

私は一九八四年ごろから、雑誌『群像』で、「探究」と題してエッセイを連載していました。「探究」という題は、ウィトゲンシュタインから来るもので、実際、その中でウィトゲンシュタインを論じています。それまでの論理的・体系的な書き方をやめて、エッセイとして書くようになったのです。それが『探究Ⅰ』です。そのあと、一九八〇年代後半に書いた『探究Ⅱ』では、スピノザを中心に書いた。それでいうと、「探究Ⅲ」は、実質的にカント論です。

それを一九九三年に開始したのは、一九九〇年のソ連崩壊後の世界状況があったからですね。なぜこのとき、カントに向かったのか。ソ連圏が崩壊したことは、当時一般に、ロシア革命に始まる社会主義の理念が失墜したということとして受けとられました。しかし、実際は、そうではなかった、と思います。ソ連邦が崩壊したとき、もうそこに社会主義的なものが存在すると考えている人は、ほとんどいなかったからです。

そもそも一九五六年（ハンガリー革命）以来、新左翼はソ連邦的な社会主義を疑い、否定するところから始めています。さらに八〇年代には、左翼の理念そのものが終わったと目された。たとえば、J＝F・リオタールは「大きな物語」が終わった、といった。それがいわゆるポストモダニズムですね。ただ、そのときでも、誰もソ連が崩壊するとは考えていなかった。私も、ソ連はあんなかたちで、長く続くだろうと思っていました。

ところが、現にソ連が崩壊した。普通、これは旧左翼の崩壊ですから、新左翼にとってむしろ歓迎すべきことです。しかし、そうではなかった。むしろ、ソ連があるおかげで、新左翼もポストモダン派も、存在する意義をもちえたのです。それを批判しているだけで、存在する価値があるように見えたから。ソ連がなくなったら、どうなるか。自ら、積極的なものを提示しなければならないはずです。

冷戦時代では、何か積極的なことをいうと、米ソのどちらかに帰着してしまう。それらに対抗してやろうとすると、どちらでもない「第三の道」をとる、ということになります。たとえば、日本の場合、新左翼は、どちらをも否定して、「反帝反スタ」（黒田寛一）とか「自立」（吉本隆明）とかいったわけです。フランスでも、サルトルの実存主義は「第三の道」として説かれました。その後、さらに、二項対立そのものを自壊させようとする考えが出てきた。デリダが脱構築（ディコンストラクション）と呼んだのは、そのようなものです。

サルトル以後のフランス哲学が特別の意味を帯びたことも、そこから説明できます。米ソの二元構造の下で、「第三世界」と呼ばれるものが生まれたのですが、それとは別の意味で、ド・ゴール以来、フランスが、米ソに対する「第三の道」を代表してきたといえます。第三世界は一般に産業的後進国ですが、フランスはそうではなかった。その意味で、第二次大戦後の世界を脱構築するような位置にあったわけです。しかし、ソ連が消えて二項対立が消滅した九〇年代では、事情が根本的に変わりました。これによって、ソ連が没落しただけではなく、アメリカも没落し始めた。のみならず、フランスもまたそれまでの位置を失った。EUはできたけれども、それは、フランスよりもドイツが復活したということになりますから。

九〇年以後に、このように大きな変化があった。それまで曲がりなりにも存在した「社会主義」が消えたわけですから。フランスでは、デリダもドゥルーズもそれにすばやく対応しました。たとえば、彼らは逆に、自分はマルクス主義だというようになったのです。また、ネグリとハートのように、新たな革命運動を提唱する人たちが出てきた。しかし、大半の人たちは元のままで、一切の理念は幻想だったという、ポストモダニズムが基調となったわけです。たとえば、マルクス主義という「大きな物語」が終わった、という主張がありました。しかし、実際には、別の物語が出てきただけです。「歴史の終焉」（フランシス・フクヤマ）という、まさにヘーゲル主義的な「理念」あるいは「物語」が流行したのだから。

この時点で、私が考えたのは、歴史に関する「理念」の問題です。たとえば、理念は幻想だ、仮象だという。しかし、理念は仮象だということは、すでにカントが明言していることです。そこで、私はカントの読みなおしを試みたのです。そして、それを一九九三年ごろから『探究Ⅲ』（『群像』）で連載しました。これは八〇年代に連載していた『探究Ⅰ』・『探究Ⅱ』（講談社学術文庫）の続きです。先にいわれたように、「探究Ⅲ」は九八年に『トランスクリティーク』という題に変えました。そして、この本を書き上げてまもなく、NAMを開始した。だから、九〇年代前半に、カントについて考えようとしたことが、すべての発端になっています。

「理念」という「仮象」と目的論

ここで、カントがいう仮象について簡単に説明します。むろん、仮象とは幻想であり、理性によって批判されるべき錯誤です。しかし、彼は仮象を二つのタイプに分けた。感覚による仮象と、理性による仮象です。感覚にもとづく仮象は理性的な反省によってとりのぞけますが、理性にもとづく仮象は、理性ではとりのぞけない。なぜなら、理性こそがそれを必要とするからです。そのような仮象を、カントは超越論的仮象と名づけました。

カント以前の哲学ではギリシア以来、仮象を感覚によって生じるまちがい、あるいは、論理的な誤りであると見なしてきました。つまり、理性的に考えれば、われわれは仮象（ドクサ）を離れて正しい認識（エピステーメー）に達する、と考えてきた。一方、カントが考えた超越論的仮象とは、感覚や推理の誤謬によって生じる仮象ではなく、理性そのものが必要とする仮象です。これは、理性によってはとりのぞけない。それをとりのぞくと、理性、というか、人間の存在が危うくなるようなタイプの仮象です。たとえば、神や自由がそういう仮象です。この問題に関しては、神・自由というようなことよりも、魂のような問題を例にとるとわかりやすいでしょう。魂が存在するかどうか、という問題。

魂というのは、同一の自己を意味します。魂の不死、つまり、死後にも自己があるということは、そもそも同一の自己がなければありえない。ところが、ヒュームがいったように、同一の自己なるものは仮象です。たとえば、自己は、昨日と今日でも違う。すると、多数の自己があることになる。が、それでは困ったことになります。そこで、ヒュームは考えた。同一の自己なるものは存在しない、ただ、社会的な約束として想定されるだけだ、と。このような懐疑論は、「我しか存在しない」という独我論と同様に、反駁するのが厄介なものです。

それに対して、カントはそれら多数の自己の根底に一つの自己がある、と考えて、それを「統覚」

と呼んだ。もちろん、これも仮象です。しかし、超越論的な仮象である。これがないと困ったことになるのです。たとえば、分裂病(統合失調症)がそうです。自己同一性を疑ったヒューム自身、それをたんなる理論として主張していたわけではなくほとんど狂気の寸前にありました。したがって、自己同一性は仮象であるとしても、むしろ不可欠な仮象です。カントのいう理念とは、そのような仮象です。

今日、人びとがいう理念とは、歴史に関する理念です。カントは、人間の歴史は機械論的な因果性によって決定されるものであるが、同時に、そこに目的がある「かのように」見なしてよい、と考えた。だから、歴史に目的があるという理念は、超越論的な仮象です。ついでにいうと、彼は「自然史」についてもそう考えた。自然界は機械論的であって目的論的ではないが、結果的に目的論的なものであるかのようになっているというのです。その意味で、彼はダーウィン的進化論を先取りしています。人間の社会についても、同じです。カントは、これまでの人類の歴史をふりかえって、それが道徳法則の実現される社会に向かって漸進してきた以上、今後もそうである「かのように」見なしてよい、というのです。それがカントの「世界市民的見地における普遍史」の理念です。むろん、それは超越論的仮象です。

ところで、これまでの歴史過程をふりかえって見いだされる目的論と、それを未来に適用することは別の話です。未来に関して、われわれはたんに予想すること、あるいは、信じることができるだけです。未来についての憶測は仮象にきまっている。しかし、われわれは、将来に関して盲滅法にやるわけではない。これまでの事例から見て、将来にどうなるかを、ある程度想定することができるし、また、そのような想定なしには何もできません。したがって、カントは、過去の経験から事後的に想定される目的論的なものあるいは法則性を、未来に適用してよいと考えたのです。ただ、彼は、それは根本的には仮象であると考えていた。それがカントにおける歴史の「理念」です。

いいかえれば、カントはあくまで物事を「事前」から見る立場に立っていた。このような理念の見方に反撥したのがヘーゲルです。ヘーゲルにとって、理念はカントにおけるように未来に実現されるべき何かではない。また、それは仮象ではない。ヘーゲルにとって、理念は現実に存在する。というより、現実こそ理念的である。だからまた、彼にとって、歴史は終わっているのです。カントに対して、彼の立場はいわば「事後」の立場です。

ヘーゲルの態度の背景には、フランス革命があります。カントがフランス革命的なものをいっそう徹底化しようとしていたのに対して、ヘーゲルはそのようなラディカリズムを斥け、現実を受けいれることを説いたといえます。近代ブルジョア国家が成立した以上、今後、根本的な変化はない。ゆえに、歴史はここで終わった、ということになる。

ドイツでは、ヘーゲル以後、彼の思想を受け継ぐ者は、大きくいえば、二つに分かれました。右派は、保守的な国家主義者。これはブルジョア革命を認めない。他方、ドイツではまだ近代ブルジョア革命も起こっていない、だから、ヘーゲルが批判したものをむしろ先ず実現すべきだ、と考える人たちが出てきた。それがヘーゲル左派です。その中から出てきたのがマルクスやエンゲルスです。彼らは、ヘーゲルが歴史の最後の段階と見なしたブルジョア社会に、今や資本家と賃労働者という階級、そして、彼らの階級闘争が出現していることを見いだしたわけです。

しかし、このとき、〝マルクス主義〟につきまとう難問が生じました。マルクスはヘーゲルの『法哲学』から出発し、その観念論哲学を唯物論的に転倒した。確かにそうですが、それはたんに観念論から唯物論への転倒、つまり、上下の転倒ではすみません。それは、いわば、前後の転倒に及ぶのです。

ヘーゲルを転倒したとき、マルクスは歴史を終わったものとしてではなく、未来に何かを実現すべきものとして見ることになる。それは、「事後」において見る立場から「事前」において見る立場への移行です。しかし、「事後」の立場からなら見いだせるような必然性を、「事前」の立場で想定することはできません。必然性は仮象（理念）でしかありえない。すると、「事前」の立場に立つとき、ある意味で、カントの立場に戻ることになります。

マルクスはカントの立場を認めないでしょう。しかし、彼は『ドイツ・イデオロギー』の中で、次のように書きました。《共産主義とは、われわれにとって成就されるべき何らかの状態、現実がそれへ向けて形成さるべき何らかの理想ではない。われわれは、現状を止揚する現実の運動を、共産主義と名づけている。この運動は現にある前提から生じる》。このようにいうとき、マルクスは前方に、歴史の目的（終わり）を置くことを拒否しています。

その意味で、彼はヘーゲルを否定している。明らかに、彼は事前から見る立場に立ったのです。それはヘーゲルからカントの立場に戻ることです。ところが、マルクスは、カントのように、未来の共産主義を「理念」（超越論的仮象）であるとは見なさない。現実の運動、そして、それをもたらす「前提」に、すでに共産主義が潜むというのです。ここから、マルクス主義の両義性（あいまいさ）が生じます。

マルクスはこのように、理念や理想を語ることをつねに斥けた。パリ・コンミューン（一八七一年）に対しても、次のように述べています。《彼ら（労働者階級）は、実現すべき理想を何ももっていない。彼らのなすべきことは、崩壊しつつある古いブルジョア社会そのものの胎内にはらまれている新しい社会の諸要素を解放することである》（「フランスにおける内乱」『マルクス・エンゲルス全集』第一七巻）。

要するに、マルクスがいうのは、共産主義は理念や理想ではない、それは資本主義社会の「胎内」にはらまれている、ということです。したがって、マルクスは未来についてはまったく語らなかった。彼は『資本論』の仕事、つまり、資本主義経済の解明に全力を尽くした。その中に全社会史の鍵が潜んでいると考えたのでしょう。

「交換様式」論の導入

しかし、このような見方は、歴史を「終わり」から見ることにならないだろうか。つまり、ヘーゲルを否定しながら、彼もまた「事後」の立場に立っているのではないか。ヘーゲルの場合、現在が最後の段階であって、この先に本質的な革命はありえない。「歴史の終焉」を説く今日のヘーゲル派と同様です。ところが、マルクスは違う。彼は未来について語らなかった。彼はいわば、未来は、過去にあるというのです。人間の社会史の中に共産主義をもたらす必然的な契機があるとしたら、それは何なのか。私はそれを考えることを可能にするものとして、交換様式を見いだした。生産様式（生産力と生産関係）ではなく。

未来あるいは社会主義について語ったのは、もっぱらエンゲルスです。そもそも「史的唯物論」自体が若いエンゲルスが最初に提起した理論なのですが、彼は特にマルクスの死後、彼は「科学的社会主義」を強調するようになった。そして、〝マルクス主義〟を作ったわけです。〝マルクス主義〟では、人間の社会史は共産主義にいたる目的論的なものとなります。それは、歴史を唯物論的に見ると称しながら、実際は、観念論的(目的論的)な観点をとることです。そこから、「終わり」を先取し、歴史の必然性という観念によって人びとを強制するような政治体制が生じた。それがソ連邦です。そして、一九九〇年においてそれが崩壊した。そして、マルクス主義は終わった。

歴史の理念は物語にすぎないという大合唱の中で、私はそれに反撥しながら、どうしても積極的な考えを見いだせなかった。共産主義とは未来にある何かではなく、「現状を止揚する現実の運動だ」とマルクスがいったことを繰り返すほかなかったのです。ところが、一九九八年になって、突然、それまでの態度の根本的な変更が生じた。具体的にいえば、それは、マルクス主義が社会の歴史を生産様式から考えているのに対して、交換様式から考えるようになったということですね。それによって、短時日の間に、最終章の骨格ができた。

交換という考えにいたらなければ、『トランスクリティーク』はおそらく、昔ながらの私の考えかたにもとづくものになったと思います。積極的に理念を提示することなく、ただ現状の認識・批判・闘争に終始するのがマルクスだ、という見方を繰り返したことでしょう。それはたんなる理論的な転換ではなかったのです。実際、その後まもなくNAMの実践を始めたわけですから。

――交換様式という考えは、マルクスにはなかったのですか。

ありません。しかし、彼が『資本論』で「交換」を重視していたことは確かです。これは「経済学批判」という副題をもつ著作ですが、その「経済学」とはアダム・スミス以来の古典派経済学のことです。スミスらは、商品の価値はそれを生産するために要した労働、そして、労働時間であると考えた。マルクスはそれを受け継いだのですが、同時に、それを批判したのです。そのとき、彼は生産だけでなく、むしろ交換を重視した。その点で、実は、スイスのワルラスが考えた新古典派経済学と共通する問題意識があるのです。ワルラスは社会主義者でしたしね。

たとえば、マルクスは『資本論』で、生産関係（資本家と労働者）から始めるかわりに、商品交換、そしてそこから生じる貨幣と商品の関係から始めています。資本主義における生産関係（資本家と賃労働者）は、実際は、資本家（貨幣）と賃労働者（労働力商品）の交換関係から生まれるものであり、そのような交換様式が産業資本主義に固有の生産関係を作りだしているのです。ただ、マルクスが『資本論』で扱ったのは、商品交換、つまり、交換様式Cが支配的となった段階だけです。それ以前の社会に関しては、ほとんど論じていない。資本制以前の社会については、社会構成体の歴史を生産様式（生産力と生産関係）から見るという、おおまかな史的唯物論（唯物史観）の公式に任せていたのです。彼自身は『資本論』に専念したわけですから。

私の考えでは、資本主義以前の社会では、Cが萌芽的にあったけれども、それとは異なる交換様式が支配的であった。だから、C以外の交換様式を考慮しなければならない。しかし、史的唯物論では、前資本主義社会を「生産力と生産関係」という観点から説明しようとする。それがうまくいかないのは当然です。たとえば、氏族社会に関しては、何もいえない。たんに未開で、生産力が低いというほかないのです。一方、マルクスは晩年にモーガンの『古代社会』を読んで、氏族社会に強い関心を抱いた。モーガンが、未来の理想的社会は氏族社会の「より高度の形態における復活」として見ることができると考えていたからです。しかし、マルクスがこの本に震撼させられたのは、それがまったく未知のものではなく、彼自身の積年の疑問に答えるものであったからだと思います。

たとえば、マルクスは『資本論』を書き出す以前に、『経済学批判序説』（一八五七年）で、ギリシア芸術が神話にもとづくこと、そして、それが社会の未発達な生産力段階によって限界づけられていることを史的唯物論にもとづいて説明しながら、それでは説明しがたい問題を見いだしています。《けれども困難は、ギリシアの芸術や叙事詩がある社会的な発展形態とむすびついていることを理解する点にあるのではない。困難は、それらのものがわれわれにたいしてなお芸術的なたのしみをあたえ、しかもある点では規範としての、到達できない模範としての意義をもっているということを理解する点にある》（『経済学批判』武田隆夫他訳、岩波文庫三二八－二九頁）。

これは氏族社会の問題と同じです。古代ギリシア社会はアジアの発展した古代国家・文明の周辺にあった。彼らはその文明を受け入れながら、専制国家の体制を拒否した。それは彼らがより進んだ考えをもっていたからではありません。そこに氏族社会が濃厚に残っていたからです。そのことをモーガンが指摘した。したがって、マルクスが晩年にモーガンを読んで絶賛したのは、そこに彼自身の積年の問題への解答を見たからだと思うのです。

このような氏族社会の性格は、生産様式を見ていてもわかりません。この社会が今もって模範的と見えるような特性は、その交換様式にあるからです。つまり、互酬交換ですが、私はそれを交換様式Aと呼んでいます。これは原始の遊動民の時代にはなく、彼らが定住した後に生まれたものです。互酬交換は物の交換に限られない。たとえば、首長制は互酬交換にもとづくものです。首長は権力をもつけれども、その役割を果たせなかったら、辞めさせられたり殺されたりする。

さらに、交換様式Bがある。これは、支配－保護という交換です。つまり、支配する側は、被支配者を保護する義務がある。そして、被支配者は自発的に服従する。ここに国家権力の秘密があります。国家の「力」はたんに武力によるものではなく、自発的な服従にもとづいているのです。次に、交換には、現在、人びとが普通にそう考えているような交換、つまり、商品交換があります。これが交換様式Cです。これは萌芽としては早くからあるのですが、優位に立つのは、近代のブルジョア社会の段階です。

重要なのは、社会構成体が、このような複数の交換様式の接合としてあるということです。たとえば、ブルジョア社会ではCが支配的となりますが、AやBが消えてしまうわけではない。Bは近代国家として残り、Aは「想像の共同体」（ベネディクト・アンダーソン）としてのネーションとして残ります。だから、近代では、資本＝ネーション＝国家となるわけです。

次に、いっておくべきなのは、交換様式Dです。具体的にいえば、これは、古代に帝国が成立した時点で普遍宗教としてあらわれたものです。これは、交換様式A・B・Cの複合体に対抗して、抑圧された原遊動性が回帰したものだといえます。マルクスは、共産主義は「氏族社会の高次元における回復」であるといいました。その言い方を借りていえば、Dは交換様式Aの高次元での回復です。したがって、それは、古代に帝国が成立した時点、つまりBが決定的に支配的となった時点で、普遍宗教としてあらわれた。それはまた、資本制経済、つまり、Cが決定的に優位になった時点で、共産主義という理念としてあらわれたわけです。

なお、マルクスが、共産主義は氏族社会の「高次元における回復」であるという場合、それが人の願望や意志によるのではないということに留意して下さい。たとえば、彼はギリシア芸術がもつ模範性に関して述べた後、こう続けているのです。

人類がもっとも美しく花をひらいた歴史的な幼年期が、二度とかえらないひとつの段階として、なぜ永遠の魅力を発揮してはならないのだろうか？ しつけの悪い子供もいれば、ませた子供もいる。古代民族の多くはこのカテゴリーにはいるのである。ギリシア人は正常な子供であった。かれらの芸術がわれわれに対してもつ魅力は、その芸術が生い育った未発展な社会段階と矛盾するものではない。魅力は、むしろ、こういう社会段階の結果なのである、それは、むしろ、芸術がそのもとで成立し、そのもとでだけ成立することのできた未熟な社会的諸条件が、ふたたびかえることは絶対にありえないということと、かたく結びついていて、きりはなせないのである。
(『経済学批判』武田隆夫他訳・岩波文庫三二八－二九頁)

ここでマルクスは、ギリシア芸術の「魅力」は、幼年期が二度とかえらないということと切り離せないという。もちろん、これは芸術だけの問題ではなくて、社会一般の問題です。つまり、共産主義は氏族社会の高次元での回復であるという場合、それは意識的に回復されるようなものではない、ということをも意味します。そもそも、それは「二度とかえらない」のです。マルクスも書いています。《おとなはふたたび子供になることはできず、もしできるとすれば子供じみるくらいがおちである》。古代の回帰、中世の回帰というようなロマン主義的な企ては、そのようなものです。それは子供じみるだけではすまず、ナショナリズム、場合によってはファシズムになるでしょう。

実は、交換様式Aは、BやCが強くなった時点でも残っています。たとえば、家や共同体として。

それはAにもとづくとはいえ、すでに変容しています。だから、家や共同体として残っているようなAをそのまま拡張しようとするなら、BやCを超えるどころか、それらを補強することにしかなりません。たとえば、資本主義社会を中世や共同体のロマン主義的な回復によって乗り越えることはできない。それはファシズムになってしまうだけです。だから、Aの回復は〝高次元での回復〟でなければならない。交換様式Dはそのようなものです。

あらためていうと、大事なのは次の点です。交換様式DはBやCを超克するものですが、人が積極的に、意識的に構成するようなものではない、ということです。カント的にいえば、それは構成的理念ではなく、統整的理念です。つまり、人間の願望・意志によって綿密に計画されるようなものというより、逆にそれに反して〝向こうから〟(強迫的に)到来するものだ、ということです。したがって、それは歴史的には最初、普遍宗教として出てきたといえます。つけ加えれば、普遍宗教はたんなる観念ではなく、広い意味で経済的な交換様式に根ざしているものです。

DはAの高次元の回帰である。私はこのようなAの「回帰」を、フロイトの「抑圧されたものの回帰」という見方によって説明できると思います。つまり、定住以前の人類がもっていた「原遊動性」は定住以後に抑圧されたが、それが反復強迫的に回帰した、と。

しかし、一九九八年あるいはNAMの段階では、まだ「原遊動性」という観点がなかったので、見方が不十分だったと思います。とはいえ、すでにこの時点で私は、宗教的観点、あるいはそれを隠しもつような観点をとることなく、唯物論的に、共産主義あるいは未来社会の必然性をいうことができると思ったのです。それが九〇年代末に起こった、私の「態度の変更」です。

「交換様式」からみた倫理の源泉

――先ほど、交換様式の観点をある日、突然思いついたといわれていましたが、具体的には、どういうことでしょうか。

そうですね。今でも鮮明に覚えていますが、交換様式に関しては、尼崎で母親が入院していた病院に行った帰りにバスに乗ろうとしたとき、ふと思いついた。一九九八年秋です。実は、その少し前にも同じようなことがありました。東京・表参道の歯医者で治療中、身動きできない状態にあったときに、ふと思いついたことがある。

昔から、カントの「義務に従うことが自由だ」という命題が、難問としてありました。義務は他律的で自由は自律的ですから、背反します。これをどう考えたらいいかわからない。それに関して、哲学者はこれまで適当なことをいっていただけです。通常は、義務と自由は両立しません。しかし、私はふと思った。「それに従うことが自由であるような」義務が一つある、そして一つしかない。それは「自由であれ」という義務です。逆にいうと、「自由であれ」という至上命令がなければ、自由はありえない。

カントの場合、自由とは自発的という意味です。スピノザは、自由（自発性）はない、人の意志は多重的な原因によって決定されている、ところが、それがあまりに複雑なので、自由（自発的）と思い込んでいるだけだ、といいました。彼の見方はまちがっていません。カントもそれを認めた上で、こう考えたのです。確かに、人間に自由はない。が、やはり自由はある。ただ、自由であれという義務に従うときにのみ、それがある。そう考えれば、謎はない、と私は思い至ったわけです。
自由というものは、カントの場合、他人の自由をふくみます。彼がいう道徳法則は、「他人を手段としてのみならず、同時に目的（自由な存在者）として扱え」というものです。だから、「自由であれ」ということが、道徳的な義務となりうるのです。それ以前、私は大体、スピノザの線で考えていたので、積極的な態度をもてなかった。それをもてるようになったのは、「自由であれ」という義務・命令に従うことによってのみ、自由がある、ということに気づいて以来です。
人間には自由はない、自由だと思うのはイデオロギーでしかない。確かにそうですが、それだけでは足りません。積極的なものが出てこない。「自由であれ」という命令があるからこそ、自由が生じる。問題は、では、その命令は、どこから来るのかということです。カントはそれを、神の命令ではなく、理性の奥に内在する道徳法則だと考えていました。が、そうではない。それは人間の理性に内在するものでもない。それはやはり「外から」来るのです。しかし、それを「神」という必要はない。私は、交換様式からそのことを説明できると考えました。

――交換様式の観点から見ると、積極的な倫理性が、宗教によらずに唯物論的に裏づけられる、ということですね。

そうです。以上のような考えは、先ほどいったように、一九九八年に突然思いついたものですが、それは長く思い悩んでいたからだと思います。あらためていうと、理念（統整的理念）は義務としてやってくる。それはたんなる観念ではなくて、反復強迫的なものである。ヘーゲルは、理念はカントがいうのとは違って、現実的であると、いいかえれば、歴史的な現実においてあるといった。しかし、別の意味で、カントのいう理念もリアルなのです。歴史的現実を通して迫ってくるのだから。

史的唯物論の再構築

――それ以後、柄谷さんのお仕事は、史的唯物論の否定というより、それを生産様式の観点に立つ旧来の見方に対して、交換様式の観点から再構築するというようなものですね。

そうです。マルクスは、『資本論』に結実する仕事を始めたとき、こういうことをいった。自分は、史的唯物論を「導きの糸」としながら、それと違った観点から資本主義経済を解明する、と。それは、生産ではなく、商品交換から見ることでした。私はそこから、交換様式を考えるようになった。だから、その後の私はたんに史的唯物論を否定したのではない。いわば、『資本論』を導きの糸として、史的唯物論を再構築しようとしたのです。

史的唯物論では、歴史を経済的下部構造から見ます。そして、それが生産様式(生産関係)です。国家、宗教、哲学などは政治的・観念的上部構造であり、経済的下部構造によって規定されるということになる。しかし、そうすると、先に述べたように、理論的に多くの困難が生じます。そこで、観念的上部構造の相対的自律性を唱え、そのあげく、経済的下部構造を事実上無視するようになる。それに対して、私は交換様式を、経済的下部構造と見なす。その意味では、私は断固として「経済決定論」者なのです。

交換様式が経済的下部構造だとすると、観念的上部構造がそれによって規定されていることははっきりわかります。たとえば、いわゆる未開社会を特徴づけるのは、低い生産力ではなく、交換様式A、すなわち贈与とお返しという互酬性によって規定された社会だということです。すると、そのような社会の宗教が呪術であることは、経済的下部構造から説明できるのです。呪術とは、人が神に贈与してそのお返しを迫ることですから。

交換様式Cも同様に、最初から観念的な要素をもっています。マルクスは『資本論』の最初に、商品物神ということをいっています。それは、商品はたんなる物ではなく、そこに一種の霊が付着しているということです。それは、マルセル・モースが互酬交換Aについていったように、贈与された物に霊が付いているということと同じです。その結果、お返しをしなければならない。商品交換Cについても、それがあてはまります。つまり、商品の価値なるものは、商品に付着した霊（フェティッシュ）であり、ゆえに、交換する「力」をもつということです。

たとえば、信用というのは、決済を後に延期することですが、これは市場経済の発展から生じたものではない。そもそも、共同体の間での交換は、信用によってのみ可能です。そして、それを可能にするのが商品物神なのです。マルクスはいう。《貨幣物神の謎は、商品物神の謎の、目に見えるようになった、眩惑的な謎にすぎない》。さらに、資本もそうです。『資本論』では、商品物神が資本物神として、最終的に全社会を牛耳るにいたる過程が書かれているのです。

したがって、これは経済的下部構造などというものではありません。また、その上に、観念的上部構造を見いだす必要などありません。資本主義経済そのものがすでに観念的上部構造なのですから。

そして、そのことを理解するためには、経済的下部構造を生産様式ではなく、交換様式において見る必要があるのです。実際、生産様式は交換様式に規定されています。たとえば、資本家と労働者という生産関係は、労働力商品の売買、つまり、交換様式Cにもとづいて形成されたものです。Cが浸透しなければ、それは成立しない。

マルクスは『資本論』序文で、自分は「ヘーゲルの弟子」であると名乗り、ただ、ヘーゲルにおいて観念論的に逆立ちしているので、それを逆転する、と書いています。それはどういう意味なのか。実は、これは誤解されやすい発言です。というのは、マルクスは若いときから、ヘーゲルの観念論を唯物論的に転倒することをやってきたからです。たとえば、初期には、「ヘーゲル法哲学批判序説」や「経済学哲学草稿」(一八四四年)などで、ヘーゲルの観念論的な構えを批判した。しかし、それは根本的にフォイエルバッハに負うものであり、この唯物論にはヘーゲルの弁証法が欠けていました。

次に、『ドイツ・イデオロギー』で示された史的唯物論も同様です。それはヘーゲルの観念論的な歴史(そこでは理念あるいは精神が自らを実現する過程として歴史が把握される)に対して、人間の自然および人間との関係にもとづく歴史、そして、生産関係から生じる階級闘争の産物として歴史を見る観点でした。しかし、これらの「転倒」は、唯物論的に見えるけれども、ヘーゲルの目的論的視点を暗黙に前提しています。また、この見方はエンゲルスの主導によるものであって、経済学に向かった時点では、マルクスにとって「導きの糸」として役立つ以上のものではなかったのです。

一方、『資本論』におけるマルクスのヘーゲル批判は、それまでと違っており、また彼独自のものです。そこでは、マルクスはヘーゲルを転倒するというより、むしろ忠実にヘーゲルに従ったのです。つまり、ヘーゲルにおいて、精神が自然的な形態から絶対精神に発展するように、『資本論』では、商品物神が資本物神に発展するところで終わる。そして、マルクスは、ヘーゲルの『論理学』に合わせて、『資本論』の叙述を構成した。では、どこがヘーゲルの「転倒」なのか。ただ、ヘーゲルがいう精神が物神になっているところです。つまり、ヘーゲルが絶対精神と呼ぶような段階は、資本主義経済が完成した段階でしかない、ということになる。

マルクスは、資本家の起源に、守銭奴（貨幣蓄蔵者）を見いだします。守銭奴が欲望するのは、物（使用価値）そのものではなく、交換価値、いいかえれば、いつでも使用価値を得る権限（力）です。守銭奴が禁欲的に貯め込むのに対して、商人は貨幣で何かを買いそれを売ってより多くの貨幣を得ようとする。マルクスの言葉でいえば、資本家は合理的な守銭奴であり、守銭奴は気の狂った資本家である。すなわち、資本の欲動は、根本的に倒錯的なのです。

したがって、資本そのものが観念的な世界です。それは「信用」にもとづくものであり、そうであるがゆえに「恐慌」も生じるのです。こうして、経済的下部構造＝交換様式という観点をとると、これまで、観念的上部構造とされてきた国家、宗教、ネーションなどを、下部構造からとらえることができます。

――次に、Dが普遍宗教としてあらわれた。これはどういうことでしょうか。

普遍宗教は、呪術などの原始的宗教とは異なるといわれます。では、どう違うのか。いろいろいわれていますが、それは何よりも交換様式から見ると明らかになります。呪術は、神に贈与して、そのお返しを強いることです。つまり、交換様式Aです。普遍宗教はそのような宗教とは違います。しかし、やはり交換様式に根ざしています。それが交換様式Dです。

普遍宗教は交換様式Dである。というより、交換様式Dは、普遍宗教としてあらわれたのです。それは、交換様式BとCが十分に発展した古代の世界帝国において、初めて出現しました。その場合、それは人間の願望や計画ではなく、神の意志であるとして到来した。もしそれが人間の祈願によるのであれば、それは呪術（神強制）と同じものになります。今日「世界宗教」といわれる宗教も、事実上、祈願＝神強制にもとづいています。あるいは、人間が考え作った制度を神の考えとして強制する。私が普遍宗教と呼ぶのは、そのような考えを拒否することです。いいかえれば、普遍宗教は、AやBやCを斥けるDとしてあらわれた、ということです。

とはいえ、普遍宗教も、出現して拡大すると、まもなくBやAが混在するかたちをとります。たとえば、キリスト教はローマ帝国の国教になってしまった。しかし、その根底にあるDが消えてしまうことはなかったのです。それがのちに、千年王国運動や異端の運動としてあらわれた。一九世紀前半でも、ヨーロッパの社会主義運動はほとんどすべて、千年王国のような宗教的な社会運動の伝統に根ざしていました。

最初にそれと手を切ろうとしたのがプルードンです。「科学的社会主義」ということを最初にいったのは、彼です。そして、「経済学」に基盤を求めた。マルクスはそれを受け継いだわけです。彼らは社会主義が宗教的な基盤をもっていることを熟知していたので、あえてそれから離れようとした。そこで、「経済学」、つまり、現在の資本主義の中に社会主義の根拠を求めたのです。しかし、実践的には、そうはいきません。社会主義はたんなる合理的な社会設計だけではありえない。宗教的と見なされるような動因を必要とするのです。

マルクス主義の運動も事実上、宗教的でした。マルクス主義の理論では、最初に原始共産社会があり、それが階級社会に転落し、資本主義の後に、共産主義社会が到来することになっています。実は、これは聖書のエデンの園、失楽園、楽園回帰という神話（物語）と同形です。だから、マルクス主義者はそれをいわないようにしている。そのかわりに、歴史を生産力の発展と生産関係の変化から説明しようとする。実際には、人を動かすのは宗教的な原理あるいは終末論なのですが、だからこそ、あえて宗教的なものを否定し、経済的な観点をとろうとしてきたのです。

しかし、これを交換様式Dとして見ると、困難は解消されます。なぜなら、Dはあくまで経済的なもの（交換）であり、宗教ないし上部構造ではないからです。DはAの高次元での回復である。その場合、先にいったように、この回帰は、人間主体の意志や願望によって生じるのではない。つまり、Aが回帰するのは、それを人が望むからではない。この回帰は、フロイトが強迫神経症に関して、「抑圧されたものの回帰」と述べたものと同じです。抑圧されたものが回帰するとき、それは必ず、強迫的なかたちで到来するのです。

――Dはたんなる Aの回復ではない。『世界史の構造』で、そのことが明確にされたように見えますね。

交換様式Aもまた、最初からあったものではなく、遊動民が定住したのちに、抑圧された原遊動性が強迫的に回帰したものだと、私は考えています。原遊動民の間では、「交換」がなかったからです。たんに生産物を平等に分配しただけだから。私はこの原遊動性をUと呼んでいます。

ところが、定住すると、蓄積が可能になり、そうなると、格差が出てきます。つまり、階級分解・国家が生じるようになる。そのような傾向を抑制するにはどうすればよいか。それが互酬交換Aです。これは、人びとがそう望んだから成立するのではない。つまり、それは人間の意志・願望ではなく、モースが指摘したように精霊の命令というかたちをとるのです。

交換様式Dも同じです。それはAの高次元での回復ですが、Aと同様に、人間が意志的に作るものではない。いわば神の意志として生じる。また、それはただの過去の回復ではなく、未来に向けての命令というかたちをとります。このように、交換様式Dという見方をとれば、宗教的な神をもってくることも、理性に内在する道徳法則(カント)をもってくることも不要となります。交換様式という見方が大事なのは、それが資本や国家を解明するということだけではないのです。むしろ、それらを揚棄する道を、たんなる「理念」としてではなく、示しうるということです。

「資本=ネーション=国家」からの超出へ

――そして、重要なのは、歴史的にどんな社会構成体も、これらの交換様式が接合されたかたちで形成されてきた、ということですね。

そうです。歴史的に見て、どんな社会構成体もそれぞれ、交換様式A・B・Cが接合されたものです。ただ、どの交換様式がドミナントであるかによって、違うものになる。たとえば、前近代の社会(旧帝国あるいは封建国家)では、交換様式Bが支配的です。AもCもあるが、それらは根本的にB

です。

の下にある。一方、近代の社会構成体では、Cが支配的です。BもAも残りますが、Cの下に変形される。たとえば、Bは近代主権国家となり、Aは想像の共同体、つまりネーションとなる。ですから、近代の社会構成体は、三つの交換様式の接合体である、ゆえに、資本＝ネーション＝国家となるわけです。

これは次のように機能します。資本主義経済は、不可避的に貧富の格差、階級的分解をもたらす。しかし、それは、人民の平等を要求するネーションを通し、国家による課税＝再分配を通して、解消される。いいかえれば、資本主義を揚棄する革命は起こらない。大騒ぎはあるとしても、もう「革命」はない。資本＝ネーション＝国家がまだ成立しないところでは革命があるだろうが、いったんそれができあがったら、もはや革命はない。

フランシス・フクヤマの「歴史の終焉」論にはいろんな批判がありましたが、私はその考えはある意味で正しいと思います。なぜなら、今日資本主義の批判者がいうのは、せいぜい国家による規制、課税＝再分配によって、資本主義を是正する社会民主主義でしかないからです。だが、そのような考えこそ「資本＝ネーション＝国家」の復元作用にもとづくものです。現在でも、ベーシック・インカムなどの福祉政策によって、国民経済を再建しようという理屈を唱える人たちがいます。

しかし、それは資本制経済を揚棄することではありません。したがって、革命ではない。その意味では、歴史は終わったといえます。むろん、終わってはいない。しかし、もし「歴史の終焉」を否定するのであれば、「資本＝ネーション＝国家」を超えることを目指さねばならないはずです。あらためて、ケインズ主義、福祉国家などを唱えるのは、不毛の極みです。もう資本主義にそのような余裕はないのです。そこで、私が考えたのが「ＮＡＭの原理」です。

2　一九九〇年代の動向

「帝国主義」の反復としての「新自由主義」

――一九九〇年代以後に生じたのは、「歴史の終焉」というより「歴史の反復」という事態ですね。

そうです。先程一九九〇年代のソ連邦の崩壊について話しましたが、その後に見えてきたのは、アメリカの経済的没落です。そして、それがソ連の崩壊にもまさる重大な出来事であったと思います。むろん、このことはすでに一九七〇年代に顕在化していました。たとえば、ドルと金の兌換が停止された。

また個人的にも、アメリカの衰退を感じる経験をしました。私がイェール大学客員教授として初めて渡米したのは一九七五年です。次に滞在したのは八〇年、そして八三年です。この間に、少しずつですが、アメリカの没落を感じました。たとえば、七五年ごろでは、日本のことが話題にもならなかったのに、八〇年では、大統領候補が日本を見習えというようになり、八三年には日本叩き（バッシング）が始まった。この変化は、アメリカの産業資本が、ドイツや日本によって追い込まれたことを示しています。

その後に、アメリカのいわゆる新自由主義政策が始まった。つまり、金融資本の規制を緩和し、福祉政策をカットして資本への課税を抑えた。一九九〇年の時点で、ソ連崩壊に関して、一般にはアメリカが勝利した、といわれていましたが、アメリカのヘゲモニーはむしろ没落する趨勢にあったのです。軍事的には独り勝ちであったから、それが目立たなかった。いまやアメリカがヘゲモニー国家として衰退しているのは明らかですが、それが誰の目にも明確になるのに二〇年ほどかかったのです。一方、日本も、九〇年代に入ると中国の資本主義的発展とともに没落に向かいました。それでアメリカではジャパン・バッシングからジャパン・パッシング（passing）へ、といわれるような事態が起こった。

一九九〇年まで米ソの「冷戦」体制があったわけですが、それは、実は安定した時代だったと思います。ソ連の存在は脅威ではあったが、それが資本主義諸国の連帯を強めたし、アメリカの国内政策においてもよい役割を果たしたといえます。たとえば、ソ連が存在するので、大量の失業者を出してはいけなかった。国民が社会主義国を羨むことのないようにです。すでに一九三〇年代からそうです。のみならず、ルーズベルト大統領の政権には、マルクス主義者が大勢入っていました。彼らは、ニューディール政策、つまり、ケインズ主義的な公共事業政策を推進した。ちなみに、日本の占領政策を主導したニューディーラーズも同様です。彼らは、民主化、農地解放、労働組合、福祉厚生政策などを行った。憲法九条を書いたのも彼らです。占領軍がそのような政策を許容したのは、ソ連への対抗があったからですね。

アメリカの「自由主義」は、したがって、福祉国家を目指すものでした。しかし、八〇年代にそれを放棄するようになった。そのころ、最初に、福祉国家を壊す政策を露骨にやったのはイギリスのサッチャー首相でした。サッチャー以前のイギリスでは、労働党が長期に渡って与党として社会民主主義政策をとり、企業の多くを国有化していました。もし企業の国有化を社会主義というのであれば、イギリスは社会主義的でした。その国営企業をサッチャーは民営化しようとした。サッチャーに続いてアメリカでレーガンが同じようなことをやりだしました。それまでのケインズ主義的な福祉国家を削り壊したのです。

それを人びとは「新自由主義」(ネオリベラリズム)と呼び始めた。しかし、それは「自由主義」とはまったく別のものです。たとえば、アダム・スミスは自由主義理論の祖とされますが、彼が考えたのは、レッセフェール(自由放任)だけではなく、福祉厚生政策なのです。彼はレッセフェールが貧富の差をもたらすことを承知していた。だから、彼は倫理学者として、「同情」(シンパシー)を唱えたのです。一九世紀イギリスが「自由主義」と呼ばれた時期には、福祉政策が行われ、労働組合、協同組合が発展していました。

ところが、一九世紀末にイギリスの自由主義は終わった。資本は海外に向かい、福祉政策は放棄された。それが「帝国主義」なのです。これは、二〇世紀末の新自由主義と似ています。一九世紀末の支配的なイデオロギーは、弱肉強食の社会ダーウィニズムでしたが、今日も似たようなものです。たとえば、自己責任とか、勝ち組・負け組とかいうような見方。要するに、二〇世紀末以後の状態を理解するには、一九世紀末の帝国主義をふりかえるべきなのです。

――それは歴史の反復性を意味しますね。一九八九年に「歴史と反復」という論文を発表されたことを思い出しました。昭和天皇の死が迫っていた時点で、「昭和は明治を反復する」ということを、年表を掲げて説かれたのですが。

そのときは、六〇年の周期性の反復を考えていました。その意味で、九〇年代は三〇年代の反復になるだろうと予想していた。実際、類似した面が多分にありました。しかし、どうも違うということに気づいたのが、一九九五年です。そして、それを撤回した。オウム真理教が私の示した年表にもとづいて、一九九九年の開戦に備えて行動を起こしたという噂を聞いたことも一因です。これがたんなる噂でなかったことは、オウムの幹部（上祐史浩）の回想にも出ていたので確かでしょう。彼らもノストラダムスの預言だけではない、何かまっとうな根拠を必要としていたわけです。私は六〇年周期説を放棄した。しかし、一九九八年、交換様式を考えたとき、私は、資本制社会における歴史的反復を否定する必要はない、ただ、六〇年周期ではなく、その倍の一二〇年周期にすればいいという考えに達したのです。

資本と国家を双頭の主体として見る

むろん、この周期性は易のような考えとは違って、資本制社会に固有のものです。それは資本主義の景気循環（長期波動）にもとづいている。その場合、それはたんに資本主義経済だけで見ることはできない。逆に、たんに国家だけを見るような見方でもだめです。資本と国家、つまり、交換様式CとBは、密接につながっています。近代世界システムの周期性を見るには、資本と国家の二つを双頭の主体として見る必要があるのです。

近代において資本と国家は不可分離です。マルクスは『資本論』で、便宜的に国家をカッコに入れましたが、それは資本制経済の原理を解明するためです。つまり、交換様式Cによって形成されるメカニズムを解剖するためです。しかし、実際には、BやAがなければ、産業資本主義はありえない。国家は経済的下部構造（生産関係）に規定される政治的上部構造であるというような見方では、産業資本主義国家を理解することはできません。

たとえば、産業資本は労働力商品（賃労働）を必要とします。それが商人資本との違いです。その場合、生産手段（土地）をもたない者が賃労働者になるわけですが、ただちにそうなったわけではありません。イギリスの場合、領主が羊を飼うために「囲い込み」によって農地から追い出したのですが、追われた農民は都市の浮浪者になっただけです。いわゆるルンペンですね。

トーマス・モアはそのことを『ユートピア』（一五一五年）に書きました。イギリスでは羊が人間を喰っている、と。それは、領主らが羊毛を輸出するために、農地を「囲い込み」、農民を追い出して牧場に変えたことを意味しているのです。モアは、カトリック教会を弾圧したヘンリー八世の政策に反対して一五三五年に処刑された。興味深いのは、その翌年、ヘンリー八世が救貧法を発布したことです。これは教会にかわって国家が貧者を救済するものです。しかし、この救貧はたんに貧者を救済することではなかった。貧民の犯罪や暴動を防止する治安維持が目的でした。それは乞食・放浪を禁止し、彼らを監禁して労働させ、訓練するものです。救貧法はその後エリザベス救貧法（一六〇一年）となり、改革されはしたが、一九世紀半ばまで続いたのです。

このことは、別の観点から見ると、賃労働者を育成することです。浮浪者ではない産業労働者を育成するためには、フーコーが『監獄の誕生』で述べたように、規律訓練（ディシプリン）を与えることが必要でした。たとえば、時間を守ること、読み書きや計算ができること。特殊な技術に熟達する職人的労働者ではなく、どんな職種にであれ対応でき、かつ協働できるような者を育成する。それはいわば、規格化された「労働力商品」を作ることです。そして、それはまもなく義務教育や徴兵制というかたちでなされるようになった。

このようなやり方はイギリスで最も早く進んだのですが、その後、他のヨーロッパの国でもその外でも採用されるようになりました。日本では維新政府は明治四年に、義務教育と徴兵制を布告しました。このような政策にはそれぞれの理由がありますが、実は次のようなことを含意します。そのころ、日本には産業資本はなく、当然、産業革命もなかった。明治国家はそれよりも前に、学校と軍隊を通して、産業労働者を創ろうとしたのです。産業資本よりも前に、それが必要だった。そして、それを行ったのは国家です。また、国家は、八幡製鉄所のような官営工場を始めて、それを民間の資本に払い下げた。だから、国家を経済的下部構造によって規定される上部構造と見なすというような観点では、事態を正しくとらえられないのです。

国家と資本は、異なる交換様式（BとC）に根ざしていますが、切り離せないほどに結びついています。一方、ネーション はAに根ざすものです。それは解体された農業的共同体の想像的回復です。ベネディクト・アンダーソンの言葉でいえば、「想像の共同体」です。ただし、それは国家によって形成された国民（ネーション）です。だから、私は近代資本主義国家を、資本＝ネーション＝国家と呼んでいます。その場合、能動的な主体となるのは、資本と国家です。世界資本主義の段階的変化は、ただの資本主義経済の変化ではなく、同時に、そこに国家が関与していることから生じます。

――『世界史の構造』でも世界資本主義の段階について論じられていますが、それを見るためには、資本と国家を双頭の主体として見る必要があるということですね。

そうです。一九世紀後半、特にマルクスの死（一八八三年）以後に、資本主義経済には大きな変容があった。『資本論』ではそれを説明できない。そこで、一方で、資本主義は変容したというベルンシュタインの修正主義、他方で、金融資本が支配的である段階に移ったということを強調するヒルファーディングの論などが出てきたわけです。いずれも『資本論』は古くなったというものです。ゆえに、それを「発展」させねばならない、と。

そのような論調が支配的であったときに、宇野弘蔵は次のような考えをとりました。『資本論』はいわば「純粋資本主義」を原理的に明らかにしたものであり、それをもっと緻密にする必要はあるけれども、修正する必要はない。その一方で、宇野は資本主義が歴史的に変化することを認めて、その段階的変化を経済政策から見ようとしました。つまり、重商主義、自由主義、帝国主義、そしてロシア革命以後、というふうに歴史的段階を区別した。実は、これは「経済政策」というかたちで、国家を再導入することだったのです。しかし、宇野はそのことを明確にしなかった。だから、宇野派はそれ以上には進めなかったのです。この段階をたんに経済的な発展段階として見てしまった。

それに対して、私は国家と資本を双頭の主体とする見方への鍵を、歴史学者ウォーラーステインに見いだしました。それは、世界資本主義の段階を、ヘゲモニー国家の遷移から見るものです。第一に、ヘゲモニー国家がある状態は自由主義的です。第二に、ヘゲモニー国家が没落し、かつそれにとって代わるものがなく争う状態が、帝国主義的である。歴史的には、近代世界システムにおいて、ヘゲモニー国家はこれまで三つしかなかった。オランダ、イギリス、そしてアメリカです（左図参照）。

宇野弘蔵は、イギリスの経済政策を見て、資本主義の歴史的段階を重商主義、自由主義、帝国主義に進んだと考えたのですが、それは間違いです。たとえば、オランダがヘゲモニー国家であったとき、自由主義段階があったわけです。その時期のイギリスは後発国で保護主義的でした。このオランダが没落し、新たなヘゲモニーの座をめぐってイギリスとフランスが争うようになった時代が重商主義と呼ばれるものです。これはヘゲモニー国家が不在の時代、したがって、「帝国主義的」な時代です。

次に、イギリスの優位が確定されたのが、ナポレオン戦争以後、つまり、一八一〇年以後です。それ以後が自由主義時代だといえます。もちろん、それはイギリスがヘゲモニー国家になったということです。一九世紀後半には、このイギリスのヘゲモニーが揺るぎ始め、新たなヘゲモニーの座をめぐる争いが生じた。それがいわゆる「帝国主義」段階なのです。そして、それが第一次大戦に帰結した。その結果、アメリカがヘゲモニー国家となった。

	1750-1810	1810-1870	1870-1930	1930-1990	1990-
①世界資本主義の段階	帝国主義的	自由主義的	帝国主義的	自由主義的	帝国主義的
②ヘゲモニー国家		英国		米国	
③マルクス主義的な段階論	重商主義	自由主義	帝国主義	後期資本主義	新自由主義
④資本	商人資本	産業資本	金融資本	国家独占資本	多国籍資本
⑤世界商品と生産形態	繊維工業(マニュファクチャー)	軽工業(機械生産)	重工業	耐久商品(フォーディズム)	情報(ポスト・フォーディズム)
⑥国家	絶対主義王権	国民国家	帝国主義国家	福祉国家	地域主義

*追記:1750年以前は、①は「自由主義的」段階、②はオランダ、⑥は共和制である

世界資本主義(近代世界システム)の歴史的段階

宇野は、ロシア革命以後の資本主義は帝国主義以後の段階であると考え、それを「現状分析」の対象としました。しかし、私の考えでは、それは新たな自由主義的段階の始まりにすぎない。もちろん、それは一気に成立したのではありません。第一次大戦を境に、アメリカのヘゲモニーが確定したのですが、それに対して、ドイツと日本が抵抗した。それが第二次大戦に帰結した。しかし、それはアメリカのヘゲモニー、したがって、自由主義的な段階を一層確立する結果に終わっただけです。さらに、第二次大戦後はソ連がアメリカに対抗する勢力となりましたが、それはアメリカがヘゲモンであるような自由主義的段階を補完するものであって、それを壊すようなもので

はなかった。むしろそれは、アメリカの没落に対応して没落したのです。

アメリカのヘゲモニーが揺らぎ始めたのは、一九七〇年代からです。そして、それを揺るがしたのが、先ほどいったように、日本とドイツでした。その後に、アメリカから新自由主義が出てきたのです。すなわち、新自由主義という「経済政策」は、アメリカがヘゲモニー国家として没落し始めた段階、そして、新たなヘゲモニーをめぐる争いが生じる段階、すなわち、帝国主義的な段階に固有のものです。ゆえに、新自由主義は、自由主義とはまったく異なるものです。また、それはたんに諸国家が任意に選択するような経済政策ではありません。それは「歴史的段階」です。すなわち、ヘゲモニー国家が不在であるような段階です。

このようにヘゲモニー国家の存在、没落、さらに、新たなヘゲモニー国家の出現という反復が、世界資本主義の段階を循環的なものにします。「自由主義的」な段階と「帝国主義的」な段階が交互に続く。ここから見ると、帝国主義を「資本主義の最高の段階」（レーニン）として見ることはできません。まして、それを「最後の段階」と見なすことはできない。それは反復的なものだから。私の考えでは、この反復の周期がまさに一二〇年なのです。

これはウォーラーステインの説とは違います。彼はコンドラチェフの長期波動説にもとづいているので、五、六〇年の周期性をいうだけです。また、一九一四年以後に関しては、帝国主義と自由主義の周期的反復を考えていないようです。だから、九〇年以後を新帝国主義（新自由主義）と見るような考えは出てこない。それに対して、私は資本と国家を双頭の主体として見るので、経済的な景気循環だけでは見ない。すると、現実の歴史的出来事から見て、図に示したように、一二〇年周期になります。そして、ここから、今後にどうなるかも予測することができます。現在が、ヘゲモニー国家が没落しつつある帝国主義的時代だとすると、どこが次のヘゲモニー国家となるか、あるいはそこにいたるまでに何があるか、ということも。放っておけば、もちろん、世界戦争です。なお、以上の事柄は、『世界史の構造』に詳しく書いてあるので、それを参照して下さい。

――交換様式の観点から見ると、近代のシステムは、資本＝ネーション＝国家というものになります。それは帝国主義あるいは新自由主義の段階ではどうなるのでしょうか。

資本＝ネーション＝国家は、先に述べたように、次のようなメカニズムをもっています。資本主義的な市場経済が進むと、階級格差や対立が生じます。それを、ネーション＝国家が課税と再分配によって解消する。資本＝ネーション＝国家は、そのように、資本主義経済を永続させる装置です。一九九〇年ごろ、ソ連の崩壊とともに流行した「歴史の終わり」とは、そのような装置の完成を意味します。

しかし、実は、まさにそのころから、資本＝ネーション＝国家はうまく機能しなくなったのです。なぜなら、このような装置がよく機能するのは、自由主義時代、すなわち、資本の蓄積が順調である場合だけだから。米ソの冷戦時代がまさにそうでした。が、一九七〇年代以後、資本の蓄積が困難になった。簡単にいえば、一般的利潤率が低下しました。そうなると、福祉や労働者保護といった要素は切り捨てられる。いいかえれば、「ネーション」の部分が切り捨てられて、資本＝国家が剝き出しになる。そこから、新自由主義的な政策が出てくるのです。ネーションが回復されても、それは空疎で排他的なナショナリズムにしかならない。それはもはや相互扶助的なものではありません。

だから、一九九〇年において〝終わった〟のは、ソ連社会主義だけではありません。自由主義段階で可能であった社会民主主義ないし福祉国家もそうです。たとえば、福祉国家のモデルとされていたスウェーデンでも、新自由主義的な傾向が強まった。たとえば、NAMを立ち上げたとき、どうして知ったのか、スウェーデンとフィンランドからNAMに関心をもった人たちが会いに来ました。今から思えば、彼らは、社会民主主義あるいは福祉国家が終わった時点で、別の可能性を探していたのだと思います。

日本の「新自由主義」

――一九八〇年代に欧米で生じたことは、少し遅れて日本でも始まったわけですね。

そうです。日本でも、それは一九八〇年代に始まっています。当時の日本はバブルで繁栄していた時期です。その時期に、新自由主義的な政策をやろうとしたのは、中曽根首相です。しかし、それは狭い意味での経済政策ではありません。彼が企てたことで一番大きいのは、国鉄の民営化です。これは日本の労働運動にとって決定的に大きな打撃でした。日本の労働運動を支えたのは何といっても国労（国鉄労働者組合）です。それが中枢にあった。

たとえば、ゼネストといっても、人と物の交通・輸送を一手に引き受けていた国鉄がストをやってこそ、初めてそれらしきものとなります。私の記憶では、六〇年安保闘争のときに国労は二度ストライキをしています。全国で鉄道が止まった。これが、安保闘争を支配階級にとって深刻なものにしたと思います。だから、中曽根の進めた国鉄の民営化は、国労（国鉄労働組合）の解体を目標としたものだったといってもよい。その上に、九〇年代の細川政権の成立、そして社会党の消滅があったのです。

世界的な米ソの対立構造は、国内レベルで見れば、自民党と社会党の与野党対立構造としてあらわれていました。つまり、自民党と社会党は対立しているように見えて実は結託していたわけです。それが「一九五五年体制」と呼ばれるものです。これが四〇年ほど続きました。その間に、日本は福祉国家となった、といえます。貧富の差も少なくなった。資本主義的企業も終身雇用体制でした。

しかし、米ソの二元体制（二項対立）が崩壊するとともに、日本でも二元体制が崩壊しました。それが九〇年代の政局にあらわれています。それを可能にした大きな要因は、国労の解体ではないでしょうか。国労がなくなれば、総評がなくなる、ゆえに社会党もなくなる。実際にそうなったのです。さらに九〇年代には、まだ残っていた日教組、解放同盟、大学教授会などが袋だたきにあい、創価学会も取り込まれてしまった。こうして、日本には「中間勢力」がなくなってしまった。それによって資本の独裁、つまり新自由主義が始まったといえます。

二一世紀に入ると、貧富の差の拡大が各地で一層顕著になった。そうなると、それを糾弾し、国家による金融規制・課税による再分配を要求する論者が出てきます。トマス・ピケティらがその代表です。それはかつての社会民主主義の再現です。しかし、現在、これを実現することは不可能です。資本＝国家がこれを許さないから。それを本当に実現するのであれば、国家権力を握った独裁体制が必要となります。しかし、もちろん、社会民主主義者はそんなことをやる気はないでしょう。だから、たんに空疎な文句をいっているだけです。

一九九〇年代に、私は新自由主義の進展の下で情勢の悪化をひしひしと感じていました。しかし、どうしたらよいのか。私のほうにはまだ、積極的な考えがなかった。共産主義は「現状を止揚する現実の運動」である、というほかに。私はその状態を情けなく思っていました。先ほどいった「態度の変更」は、この時期に起こったのです。

3　生産過程から流通過程へ

新自由主義に包摂される対抗運動

――『NAM原理』は、生産様式よりも交換様式を重視する観点から生まれたとおっしゃいました。そして、それは労働運動に対して消費者運動を、ストライキに対してボイコットを重視することにつながっています。ところで、柄谷さんが流通過程に注目されたのは、六〇年代以後の情勢とも関連していますね。日本の場合、高度経済成長が一段落した六〇年代後半から、労働運動以外の運動が盛んになりました。

それは「疎外論」が流行したことと平行する現象ですね。絶対的貧困、階級的格差がなくなってきたから、資本主義のそれまで見過されてきた欠陥が見えてきたのです。それまでは、労働運動と政党政治の運動が中心でしたが、急激な経済成長以後は変わってきました。いわば人間の「疎外」が重視されるようになった。さらに、六〇年代後半に浮上してきたのは、水俣病などの環境問題です。それらに関して、旧来の運動は何もできなかった。たとえば、水俣病の場合、チッソという会社の労組は会社を支持したのに、主婦たちが中心となって反対運動が起こったのです。つまり、それは消費者運動として起こった。同時期、アメリカでも、ラルフ・ネーダーによるボイコットなどの消費者運動も盛んになりました。

次に、大学の変化です。高度成長とともに、大学への進学率が飛躍的に増えた。大学は知的エリートによる真理探究の場などではなくて、発展した産業資本に対応する労働力商品の養成所であることが顕著になった。この時期に起こった学生運動は、それまでとは違います。それは「学校」に対する闘争だということです。それは消費者運動のようなものです。もう一つは、フェミニズムやマイノリティの闘争です。これらは労働運動を優位におく旧左翼の運動では軽視されてきたものです。

このように、労働運動の衰退に対応して、さまざまな対抗運動が出てきました。それらをひっくるめて、ウォーラーステインは「反システム運動」と名づけました。が、これらが資本主義に対する対抗運動となりえたか、というと、疑問があります。一言でいえば、それは一九九〇年代の「新自由主義」には抵抗できなかった。マイノリティ・ジェンダー・エコロジーなどに向かった運動は、旧来の左翼運動への批判ではあっても、それは資本にとって打撃ではなかった、と思います。

エコロジーに関していうと、資本はそれなりにエコロジー主義を取り込んだ。また、ジェンダー差別の廃止は、資本にとってむしろ歓迎すべきことです。無能な男性より有能な女性を雇いたい。人種・エスニック差別についても同じです。差別がないことは、新自由主義にとってむしろ好ましい面も多い。一九八〇年代アメリカでPC（ポリティカル・コレクトネス）が一般に普及したことは、新自由主義と矛盾しません。男女、諸エスニックは以前より平等に近づいたが、平等に失業するようにもなったわけです。ただ、もはやそれに抵抗したりしない。すべて「自己責任」だから。一九九〇年以後、つまり、新自由主義の下で、さまざまな「反システム運動」はその牙を抜かれてしまった。

消費者とは労働者である

――労働運動以外のさまざまな対抗運動が起こってきたのは、むしろ労働運動が無力になったからこそ、だといえますね。

そうです。労働運動から消費者運動その他へという転換は、別に〝発展〟というほどのものではありません。むしろ、それは資本主義の発展の結果だというべきです。したがって、資本への対抗運動を再考する必要があります。そのためには、先ほど述べたように、資本の蓄積がいかにしてなされるのかを見なければならない。もしそれが生産過程だけでなされるなら、そこでの労働運動が中心となるのは当然ですが、けっしてそうではない。消費あるいは流通（交換）の過程なしには、産業資本の蓄積はありえません。資本の蓄積は、大まかにいえば、労働者が自分らの作ったものを買い戻すことによって可能になる。

それはこういうことです。消費者は労働者と区別されていますが、消費者の大多数は、労働者とその家族です。つまり、消費者とは概ね労働者だといってよい。労働者は生産点では労働者と呼ばれ、流通過程では消費者と呼ばれる、ということです。そして、資本の蓄積は、労働者が生産することだけではなく、彼らが消費者として自らの生産物を買い戻す、ということによって可能である。これは、産業資本が、太古からある商人資本と異なる点です。たとえば、商人資本は贅沢品を売買していたが、産業資本は主として日用品を生産して販売する。そして、それを買うのは、生産した者であるわけです。

産業資本の場合、利潤はたんに生産過程だけではなく、流通過程をふくむ全過程を通して実現される。その場合、生産過程では、資本が主人ですが、流通過程では、労働者が消費者として主人となる。たとえば、「お客様は神様です」ということになる。であれば、資本に対する闘争は、生産点だけでなく、流通の場においてもなされなければならないでしょう。しかも、どちらでやろうと、それは労働者の運動なのです。

——労働運動と消費者運動は密接に結びついているわけですね。実はどちらも本来、労働者の運動である。

そうです。一般に、労働者は自分が働いている企業の側に立ちます。企業と同一化する。企業が倒産すれば困るからです。そのような考え方を変えるのは難しい。このような労働者の意識を変えるためには、「階級意識の外部注入」（レーニン）が必要だということになるのでしょうが、それはほとんど不可能です。

しかし、たとえば、企業が行なっていることが社会的に有害である場合、企業内の労働者が黙っていても、外の労働者が消費者として、それを糾弾するでしょう。六〇年代の水俣病のケースがそうでした。チッソの労働組合は会社を支持したのに、主婦たちが立ち上がった。けれども、それを消費者の運動と定義すべきではないと思います。広い意味での労働運動だと考えるべきです。このケースは、労働者はむしろ、消費者の立場に立つときに、普遍的な立場から行動できるということを示しています。つまり、普遍的な「階級意識」を外部から注入するという厄介なことをしなくても、労働者は資本の規制から離れて活動することができるのです。資本への対抗運動は、このことを承知しておくべきです。

また一般に、労働者の運動はストライキを武器とします。他方、消費者の運動はボイコットを武器とする、といえます。通常、それらはまったく別だと考えられています。しかし、私はニューヨークに住んでいたとき、スウェット・ショップ(日本ではブラック企業という)を告発する光景をよく見かけました。たとえば、店の前で、活動家が通行人に店のボイコットを呼びかける。その場合、店内で勤務している労働者は黙っています。もし彼ら自身がそうすれば、ただちに解雇されるからです。すると、このような運動は消費者運動なのか、それとも労働運動なのか。ボイコットなのか、ストライキなのか。また、それがなされる場所は、流通過程なのか、生産過程なのか。

しかし、それらを分離し区別するのは愚かしい。むしろ、労働運動と消費者運動は、このように組み合わされたときに、強力なものになります。だから、それらのどちらが大事か、などと問うのは、ナンセンスです。やりやすい場でやればよい。現在では、生産過程での闘争が困難になっています。たんに労働運動への締め付けがあるだけではない。そもそも企業の中でも、労働者が出会うことが難しいし、したがって、組合も作れない。しかし、それなら、消費者として、流通過程で闘えばよいのです。つまり、ストができない場合、外からボイコットをすればよい。

　これまでは労働運動が最も重視されていました。別の観点からいえば、それは生産過程を重視することです。たとえば、日本では、学生運動が事実上、いつも革命運動の中心だったにもかかわらず、それはプロレタリア運動に従属するものと見なされてきました。当の学生もそう思ってきた。六〇年代の議論もそのようなものでした。また、消費者運動も低く見られていました。それらは要するに「生産過程」に属するものではないからです。しかし、このような考えは、実情にあっていないだけでなく、理論的にまちがっています。特に労働組合が衰退した今日では、そのような見方ではやっていけない。

消費者運動の理論的根拠

　しかし、たんに消費者運動が大事だというだけではだめです。その根拠を理論的に示さないといけない。それは資本主義、つまり、資本の蓄積（自己増殖）がいかにしてなされるかという問題にかかわることです。一般に、マルクス主義では、資本の蓄積が生産過程において生じる、つまり、そこでの剰余労働（剰余価値）の搾取によって生じると考えられています。しかし、これは特にマルクスの考えだということはできません。

　商人資本は、流通過程で、物を安く買って高く売る、その差額を剰余価値として得る。それに対して、アダム・スミスは、産業資本の得る利潤は等価交換によるので、商人資本と違って正当であると考えたわけです。しかし、産業資本が得る利潤は、労働者が受けとるべきものを資本家が搾取しているのだと批判したのは、マルクスが最初ではない。イギリスのリカード左派であり、また、フランスのアナーキスト、プルードンです。

マルクスが認識したのは、そんなことではありません。『資本論』で彼は、資本主義経済の考察を、資本家と労働者の階級関係から始めずに、商品と商品の交換から始めた。商品交換から貨幣が生じ、それが資本に転化する。商人資本とは、物を買って売ることで増殖する、つまり、M－C－M'という自己増殖の運動です。実は、産業資本も本質的に商人資本と同じです。ただ、Cの部分で違いがあるだけです。

産業資本は、原料・生産手段などのほかに、労働力を買い入れて、それによって生産されたものを売るわけです。大事なのは、資本の生産過程の根底に、貨幣と(労働力)商品の交換、つまり、流通過程があるということです。その意味で、剰余価値は、生産過程というより、広い意味での流通過程において生じるのです。

マルクス以前に、リカード左派は剰余価値を、労働時間の延長、あるいはそれにふさわしい賃金を払わないことに見いだした。そのような〝ブラック企業〟があったことは確かです。今もありますから。が、産業資本の増殖の秘密はそこにはない。それはマルクスがいう「相対的剰余価値」によってなされる、というべきです。それは技術革新によって労働力商品の価値を下げることによって得られるものです。いわば、労働者は知らぬ間に搾取されるわけです。これはまた、産業資本主義において、かつてなかったような規模で技術革新が加速される理由です。

マルクスの認識に関してもう一つ加えておきたいのは、『経済学批判要綱(グルントリッセ)』で彼が述べた事柄です。資本の自己増殖(蓄積)は、M－C－M'という過程なのですが、それは、最後に労働者の作った物が売られなければ、価値増殖は実現されない。では、誰が買うのか、労働者自身が買うのです。もちろん、それを作った当人ではなく、別の資本の下で働いている労働者が。

その場合、生産過程では、資本が主人ですが、流通過程では、労働者が消費者として主人になる。要するに、資本の蓄積はたんに生産過程だけではありえない。流通過程をふくむ全過程においてなされるのです。であれば、資本に対する闘争は、生産点だけでなく、流通においてもなされなければならない。しかも、どちらでやろうと、ある意味で、それは労働者の運動なのです。だから、労働運動と消費者運動、あるいは、生産過程と流通過程という区別は表層的なものであり、実践的にも有害です。

——資本の秘密を「相対的剰余価値」に、また流通過程に見いだす発想は、柄谷さんの七〇年代の著作である『マルクスその可能性の中心』以来のものだと思いますが。

そうですね。私が『マルクスその可能性の中心』を構想したのは、一九七三年、日本経済が高度成長を遂げ、全共闘運動が終わり、連合赤軍事件で新左翼運動が崩壊し、「マルクス主義は終わった」といわれた時期です。労働組合は企業と一体化し、社会福祉が行き届き、階級差も減少していました。このような時期に、資本家の搾取などといっても、もう説得力がなかった。

日本ではすでに、一九五〇年代後半、つまり、高度成長が始まったころから、マルクス主義に新しい二つの傾向が出てきました。一つは、初期マルクスへの回帰です。一口でいえば、疎外論の流行です。これは、高度経済成長の下で中産階級が増大してきたことと関連しています。貧困よりもむしろ、豊かさの中での「人間疎外」ということが焦点になったのです。

もう一つは、史的唯物論の見直しです。それまでの史的唯物論は、生産様式が観念的上部構造を決定するという見方、つまり、経済的決定論ですが、それではいろいろなことが説明できない。そもそも日本の場合、戦前天皇制打倒を正面から唱えた共産党が弾圧されて総転向してしまった経験がある。これが、戦後に、政治的・観念的な上部構造の次元を相対的に自律的なものとして、その構造を見ようとする態度をもたらした。広い意味では、丸山眞男の政治学もその一つです。戦後に、彼は天皇制について書いた。

丸山眞男は、一般には、ウェーバーや近代政治学・社会学の認識を導入した近代主義者と見られていますが、丸山は、彼自身の口から聞いたことなのですが、自分こそが真にマルクス主義的だと考えていた。一方、観念的上部構造を「共同幻想論」として対象化したのが、吉本隆明です。彼も戦時中の天皇制の体験から出発したのです。

また、六〇年代には、史的唯物論をそれ自体として再建しようとした人が出てきた。廣松渉です。彼は初期マルクスを持ち上げる見方を批判し、そのような疎外論と決別したところに、マルクス主義が成立したこと、そして、その場合、エンゲルスの先行性、主導性があったことを強調しました。私は大学の二年目になってから廣松渉とつきあうようになったので、彼の考えは知っていました。

それからまもなく、私が知ったのはフランスの哲学者アルチュセールです。彼もまた、疎外論の回復を批判し、マルクスが初期の疎外論的な思惟から「認識論的切断」をしたこと、そこに史的唯物論の画期性があることを強調しました。この点では、廣松渉と同じです。ただアルチュセールは、下部構造が観念的上部構造を決定することを、「重層的決定」として見ようとした。それは事実上、非決定論なのですが、あくまで経済的決定論の外見を護るために、そうしたわけです。彼はそれをフロイトから導入した。たとえば、フロイトは『夢判断』で、夢の思想と夢の仕事を区別しました。夢の思想が下部構造であるとするならば、夢の仕事は、それを圧縮や置換によって、隠しながら表現することです。そのように、下部構造が観念的上部構造において変形されてあらわれる仕組みを考えればよい。

しかし、私は当時、疎外論にも廣松渉にもアルチュセールにも向かわなかった。『資本論』に向かったのです。それは一つには、宇野弘蔵の影響を受けたからですね。宇野は、『資本論』は科学であるが、史的唯物論はイデオロギーであると公言していた。つまり、『資本論』は、史的唯物論を「導きの糸」として参考にはするものの、それとは異なる見方と方法によって書かれている、というのです。

私は宇野の考えに同意し、経済学部に進みました。すでに宇野は東大から退いていたけれども、宇野派の教授が大勢いました。しかし、まもなく私は経済学への関心を無くした。そして、卒業後は文学に転向して、批評家となったのです。そのとき、私は『資本論』への関心を捨てたわけではありません。ただ、それを経済学者として研究する気にならなかっただけです。私にとって、『資本論』が照明した資本主義経済は、物質的というよりも、信用にもとづく観念的上部構造であるように見えた。そもそも『資本論』は物神（商品）がマモン（資本）に発展する過程を描いた作品であると私は思いました。しかし、そのようなものとして『資本論』を読むことは、経済学の領域ではありえなかった。かといって、それは哲学の領域でもありえない。

マルクスはこう書いています。《商品は、一見したところ、わかりきった平凡な物に見える。だが、これを分析してみると、きわめて面倒なもの、形而上学的な小理屈や神学的な偏屈さでいっぱいのものであることがわかる》(第一巻第一章第四節)。つまり、『資本論』はむしろ、形而上学や神学の問題を「わかりきった平凡な物」の中に見いだすような著作なのです。私はそれを論じることができるのは、文学批評以外にないと考えた。だから、私が文学批評家となったことと、『資本論』に関して独自の理論を切り開いたことは、矛盾しません。

『マルクスその可能性の中心』を書いてから、人に指摘されたのは、私が宇野弘蔵の影響を受けているということです。確かにそうです。宇野がそれまでのマルクス主義経済学者と異なるのは、資本主義を商人資本から考えたことです。つまり、資本家と労働者という階級関係から始まるものとしてではなく、それを、貨幣と商品、つまり、交換様式Cから考えようとしたということです。ところが、宇野も宇野派もそんな問題意識がなかった。

たとえば、私は宇野のように「労働時間」説を重視しません。これはスミス、リカードのような古典経済学者の理論であり、また、剰余価値や搾取をそれで説明しようとしたのはリカード左派であって、マルクスではありません。古典経済学は、先行する重商主義・重金主義を批判して、労働価値説を唱えたのですが、マルクスはむしろ、重商主義・重金主義に戻って考えた。だから、商品の物神性(フェティシズム)を指摘したのです。つまり、商品の「価値」は、物に付着した精霊である、と。そして、それは「交換」の過程においてあらわれる。剰余価値も同様です。

資本は、剰余価値を得ることによって、蓄積(自己増殖)を果たします。M-C-M'。これは明白ですが、いかにしてそれが可能か。私が考えたのはその問題です。私は資本の蓄積を、労働者の直接的な搾取というようなことよりも、むしろ、人が意識できないような流通過程において見ようとしました。たとえば、アダム・スミスは、商人資本は安く買って高く売るから不正であり、産業資本は等価交換であるから正当だという。しかし、商人は特に遠隔地交易においてですが、ある物を、それが安いような価値関係の体系で買って、それが高くなるような価値関係体系のところで売ることで、差額を得るのです。その場合、どちらの側でも等価交換ですから、別に不正ではない。また、商人も遠隔地まで行って安いものを見つけるのだから、彼らの利潤はそれに費やした「労働」への正当な報酬だともいえます。

一方、産業資本も商人資本と同様に、体系間における交換を通して、その差額を剰余価値として得るのです。ただ、商人資本が別の空間的に異なる価値体系のところに向かうのに対して、産業資本は、時間的に、異なる価値体系を作り出すことによって差額を得る。主として、それは技術革新によるものです。たえまない技術革新によって、労働力商品の「価値」が下げられる。産業資本主義の社会は、たえまない技術革新に駆り立てられるのです。

商人資本の場合と同様に、資本家と労働者の交換は、等価交換によるものです。にもかかわらず、差額が生じる。それは技術革新などによって、労働力商品の価値が下げられるからです。したがって、特に「搾取」するわけではない。もし目立つような不正があるならば、労働組合などの闘争にて、それを正すことができるし、長続きはしない。資本がその蓄積（自己増殖）において、剰余価値を得ているることはまちがいないのですが、その秘密は、労働時間の延長や酷使のような目に見える強制によるのではなく、広い意味での流通過程にあるのです。

しかも、実際には、産業資本も、狭い意味での流通過程から利潤を得ようとします。つまり、商人資本と同じようにふるまいます。たとえば、企業は労働賃金の低い地域に移動する。また、商業・金融の投機によって利潤を得る。要するに、資本の総体は、別にどこから利潤を得ても構わないのです。

金融や株の投機から得てもよい。ただ、その利潤はすべて、差異＝差額にもとづいています。

私が『マルクスその可能性の中心』（一九七三年）で考えたのは、商人資本であれ、産業資本であれ、剰余価値は異なる価値体系（商品の関係体系）の間における交換から発生するということです。このことを考えたとき、私が参照したのがソシュール言語学です。たとえば、ソシュールは、言語の「意味と価値」を区別しました。語が、同じ「意味」でも、別の言語体系では、その語と他の語の関係が異なる。彼はそれを「価値」と呼んだわけです。つまり、同じ物が別の体系では異なる価値をもつことになる。

そのように、私は異なる体系間での交換を、言語的なコミュニケーションとの類比で考えようとしました。それは、交換を広く交通として見ることだから、交換様式という考えの萌芽はここにあったといえますね。私は一九七〇年代に、今使っている言葉でいえば、資本は交換様式Cから生じたということをいっていたわけです。それは、合意＝等価交換にもとづいて剰余価値を得るものです。資本の蓄積が、広い意味で「流通過程」（交換）を通してなされる以上、資本に対する対抗運動は、生産過程だけではありえない。

「内在的対抗運動」と「超出的対抗運動」

――「NAMの原理」では、生産過程から流通過程へという逆転が目立ちますが、それだけではなく、もう一つ、内在的対抗運動と超出的対抗運動の区別が重要だと思います。それらは、どのように連関しているのでしょうか。

簡単にいうと、内在的対抗運動とは、資本主義経済の中で闘うことです。それは労働運動、消費者運動、あるいは、選挙その他の政治活動をふくみます。次に、超出的（excendent）対抗運動というのは、資本主義的でない経済を自分たちで作り出すということです。たとえば、消費－生産協同組合、地域通貨など。

先ほど私は、生産過程で対抗するか、流通過程で対抗するか、という問題について話しました。しかし、その場合、いずれも、内在的対抗運動に属します。一方、超出的な対抗運動は、それらと違います。むろん、このどちらも不可欠なのですが、私はある意味で、超出的な対抗運動のほうを重視した。というのも、こちらは長く軽視されてきたからです。

歴史的にいえば、超出的な対抗運動は、一九世紀半ばまでの社会主義者によって行なわれてきたものです。それはある時期からユートピアン社会主義と呼ばれるようになった。そのように命名したのは、『空想から科学への社会主義の発展』を書いたエンゲルスです。ただ、この「空想」という訳語は不正確なので、「ユートピアン」ということにします。エンゲルスは一八四二年イギリスで大規模な労働運動（チャーチスト運動）を目撃して、史的唯物論を考えた。つまり、歴史的に社会は生産関係（階級関係）から生じる階級闘争を通して変革される、したがって、産業資本主義社会を揚棄する運動は労働者階級の運動である、ということになります。

その時期までドイツに知られていた社会主義運動は、イギリスのオーウェン、フランスのサン＝シモン、フーリエなどによるものです。エンゲルスは、彼らに共通する点は、イギリスの産業労働者階級のような基盤をもたなかったことだといいます。《啓蒙主義者と同様に、彼らは、まずある特定の階級を解放しようとしないで、いきなり全人類を解放しようとした》(『空想から科学への社会主義の発展』全集19、一八八頁)。それは、彼らが産業資本主義の未発達な段階にいたからである、とエンゲルスはいいます。むろん、彼らの天才的な創意工夫に敬意を払います。《われわれはむしろ、空想の覆いの下からいたるところで顔を出している天才的な思想の萌芽や思想を喜ぶものである》(一九一頁)。

なぜ彼らは「特定の階級」に注目しなかったのか。一九世紀半ばでは、労働運動というべきものが、イギリスをのぞいて存在しなかったからです。そもそも産業労働者がいなかった。フランスの場合、労働者の反乱といっても、事実上、職人の反乱です。だから、アナーキスト的なのです。職人たちは一般に、機械化された工場生産を嫌がった。イギリスでも一八世紀では、繊維産業が中心だから、女子供が多かった。明治日本の「女工哀史」と同じような世界です。イギリスで労働運動と呼ぶべきものが生まれたのは一八四〇年代で、それがチャーチスト運動です。この運動は、一八四八年の革命において一定の勝利を得ました。労働組合が公認され、ストライキが合法化された。しかし、実は、それによって、イギリスにおける革命運動は消滅してしまったといえます。五〇年代には「労働貴族」という言葉が出てきたほどです。

そのとき、エンゲルスはどうしたか。彼は『ドイツ農民戦争』(一八五〇年)を書き、千年王国運動のトマス・ミュンツァーの「共産主義」を称賛したのです。マルクスより先に「史的唯物論」を唱え、また「空想的」(ユートピア的)社会主義を批判したエンゲルスが、このとき宗教的社会主義を高く評価したこと、また、その後も原始キリスト教の問題を深く考えようとしたことに注意すべきです。

ともあれ、一九世紀の社会主義運動では、初期の社会主義運動に固有のものと、新たに労働運動から出てきたものとが共存していました。初期社会主義運動の特徴は、生産過程ではなく流通過程における改革が主であるといえます。たとえば、地域通貨、消費－生産協同組合など。他方で、労働組合を中心とする闘争が盛んになってきたわけです。しかし、それによって旧来の運動が貶められることはなかった。たとえば、マルクスも『資本論』で協同組合運動を高く評価しています。

これが変わってきたのはロシア革命（一九一七年）以後です。以来、エンゲルスのいう「科学的社会主義」は、国家統制による計画経済を意味するようになってしまった。一方、非資本主義的な経済を自ら作り出そうとするような運動は「ユートピアン社会主義」として軽蔑されるようになった。そういう風潮がずっとありました。私が『NAM原理』で強調したのは、そのような見方への批判です。

私が「超出的対抗運動」と呼んだものの実質は、いうなれば、旧来、ユートピアン社会主義と呼ばれてきたものです。たとえば、マイケル・リントンが考案した地域通貨LETSは、プルードンの交換銀行を再活用しようとしたものです。また、消費協同組合はロバート・オーウェンに遡るものです。だから、『NAM原理』には、これまでになかったような運動は何もない、といっても構わない。

このように「超出的対抗運動」を重視するからといって、私は別に、資本主義経済の中での対抗運動を否定したり軽視するわけではありません。また、非資本主義的な空間を創り拡大することで、資本主義経済を追いつめることが可能であると考えているわけでもない。そうするためには、内在的対抗運動が不可欠なのです。ただ、非資本主義的な経済空間を作り出すことには、別の大きな意味があります。

先ずそれは、人びとに非資本主義的な空間を、ある程度感受できるようにさせます。それは、かつての農業共同体や下町が壊れて、今や圧倒的な資本主義的競争の下で生きている人たちが忘れてしまったコミュニティの感覚を取り戻させる。また、それは今後、資本主義経済が突然破綻するときにも役立つでしょう。たとえば、九〇年代にアルゼンチンが経済破綻したとき、地域通貨LETSが広範に使われたのですが、これはにわかには作れない。もともとあったからこそ活用されたのです。

——超出的な対抗運動の必要性は、二〇〇〇年代に入って、つまり、NAMの解散以後において、ますます増大しているように見えますね。

私は先に、社会構成体は歴史的に、交換様式A・B・Cの接合体であるといいました。ただ、その内のどれが支配的であるかによって、違ってくるのです。たとえば、氏族社会ではAが支配的ですが、BもCも萌芽的にあった。同様に、資本制社会では、Cが支配的ですが、同時に、AもBもあります。それらはCの下で変形されていますが。そして、それらの接合体は、資本=ネーション=国家というかたちをとります。

私が今いっておきたいのは、その内実がCの浸透とともに変わってくることです。資本主義社会だからといって、Cが社会全体に浸透するわけではない。具体的にいうと、明治以後、日本は資本主義国家になったとはいっても、人口の大半は農民であり、農業共同体、すなわち、Aが優勢な社会にあったわけです。これが急激に変わったのはむしろ、一九六〇年前後の「高度成長」の時期です。多くの人が都市に移住し、大学に進学するようにもなった。そういう人びとは共同体を嫌った。都市における個人主義を好ましく思ったのです。それは、つまり、交換様式Cが望ましいということです。しかし、これによってCが優位に立ったというわけではありません。

実際は、日本の資本主義経済は、BとA、つまり、国家と共同体によって支えられていました。たとえば、国家は、累進課税制によって富の再分配を図った。したがって、貧富の差があまりなかった。また、資本制企業も、終身雇用・年功序列制による「共同体」を形成した。労働組合も企業別であり、企業共同体に属していました。交換様式から見ると、これは、Cが浸透しているが、同時に、それがBとAによって制御されている状態です。その意味で、資本＝ネーション＝国家がうまく機能していたわけです。これが「自由主義」時代です。

九〇年代に入って、それが徐々に変わった。Cが露骨に浸透するようになったのです。それが「新自由主義」ですね。それが全面化したのは、二〇〇〇年以後、つまり、NAMの解散以後です。Cが隅々まで浸透するにつれて、社会からAの要素が急激に後退してしまった。たとえば、以前なら「終身雇用」であったから、一度就職したらほぼ安心できたけれど、今やそうはいかない。また、職を失うと、以前なら親戚や郷里に頼ることができたが、今は一挙にホームレスに転落する。そして、先に述べたように、中間勢力も全般的に後退してしまった。

ウルリッヒ・ベックが「リスク社会」ということをいいましたが、この「リスク」は、Cの浸透度が増すにつれて大きくなるのです。つまり、AやBによる支えが希薄になるからです。その場合、ベック自身をふくめて、この問題を国家の政策によって解決しようという人たちが多い。たとえば、ケインズ主義を再興しようとすることもその一つです。しかし、先にもいったように、新自由主義はたんに政策の一つとして選択されたものではなく、もはやそれ以外に資本の蓄積・存続ができないからこそ出てきたのです。

以上の点を確認した上で、私はあらためて、超出的な対抗運動の意義を強調したいと思います。非資本主義経済を自ら創り出すことは、対抗運動として必要であるという以前に、むしろ多くの人たちにとって、生存のために必要です。つまり、リスクを避けるために。しかし、私はやはり、それを資本と国家を揚棄するような対抗運動として考えたい。

新自由主義の下で、貧富の差が広がっているといわれます。それは事実ですが、この格差が「階級闘争」をもたらすことはないでしょう。なぜなら一般的にいって、富んだほうは、支配階級というよりも「勝ち組」であり、貧しいほうはプロレタリアートというよりも、たんに「負け組」だからです。つまり、勝ち組になりたかったがなれなかった者です。彼らは子供のころからたたき込まれた中産階級の規範的意識を出られない。彼らは互いに連帯することができないし、闘うこともできない。また、そのような人たちが戦闘的になると、大概、排外主義的な運動になりがちです。それがポピュリズムです。

それに対して、非資本主義的な経済空間は、勝ち組になるための競争を放棄した人たちによって形成される。とはいえ、それは負け組ではありません。私がいうアソシエーションは、むしろそのような者たちが形成するものです。「素人の乱」の松本哉がいう「マヌケ」のような人たちが。

協同組合による資本の積極的揚棄

——ところで、超出的対抗運動に関しても、価値転倒がなされています。それもやはり、流通過程を重視するものですね。

これは初期のユートピアン社会主義にもあった問題です。たとえば、ロバート・オーウェンが最初に考えた協同組合は、生産協同組合でした。それをアメリカで実験して失敗した。イギリスに戻って、消費協同組合から始め、それをもとにして、消費者＝生産者協同組合を作ったわけです。現在でも、消費協同組合から生産者をふくむかたちに発展することは、普通に見られることです。

そうすると、内在的運動でも超出的運動でも、生産過程だけがすべてではない。むしろ流通過程が重要です。しかも、労働運動と消費者運動は結合できるものだし、また結合しなければ、いずれも不毛で無力になる。同様のことが、内在的運動と超出的運動に関していえます。これらは別のものですが、やはり結合すべきものです。

たとえば、オーウェンは協同組合を作る一方で、労働組合の全国的な統合に努めていました。つまり、彼は超出的な対抗運動と内在的な対抗運動と結びつけようとしていたのです。現在は、オーウェンのこのような面が見落とされています。一方、マルクスに関していえば、彼は内在的な対抗運動（階級闘争）を重視したと見なされていますが、そうではない。彼は『資本論』の中で、協同組合を高く評価しています。たとえば、株式会社が資本の消極的揚棄であるのに対して、協同組合は資本の積極的揚棄であると書いているのです。

実際、マルクスの考えた社会主義は、生産＝消費協同組合を基礎に置いています。すなわち、労働者のアソシエーションによる生産が社会主義です。そこでは、労働する者が同時に経営者です。生産協同組合によってのみ、労働力商品（賃労働）が揚棄される。それは「国有化」とはまるで違います。国有の場合、労働者は国家公務員になるだけで、あいかわらず賃労働者ですから。国有は私有と同じ原理にもとづくものです。協同組合では、そのような私有が否定される。しかし、それは、マルクス自身の言葉でいえば、「個体的所有の再建」です。協同組合では、全員が経営者＝労働者なのです。

実は、株式会社と生産協同組合は類似しています。違いは、前者では、持ち株による多数決支配であるのに、後者では、持ち株の多寡にかかわらず、一人一票だということです（ロッジデール原則）。だから、現在の株式会社は、商法を変えれば、簡単に生産協同組合に変えられます。ロッジデール原則を採用すればいいわけです。たぶん、マルクスはそのような可能性をふくめて、株式会社を評価したのだと思います。

――イギリスで協同組合が、マルクスが書いた時期から、どうして後退していったのでしょうか。

マルクスが『資本論』で右のようなことを書いたのは、一八五〇年代後半だろうと思います。そのころは協同組合が隆盛しました。ところが、六〇年代、七〇年代になると、退潮していった。このことは、資本主義経済の歴史的変化の中で見る必要があります。

大きな変化は、産業資本の中心が繊維工業から重工業に移行していったことです。生産協同組合が資本制企業と対抗できた時期は、その前までです。その後、生産協同組合が生き残ったのは、資本との競合が少ない領域、あまり技術革新を期待されない業種、したがって、農業・漁業や木工とかにかぎられるのです。時代とともに、先ず生産協同組合の位置が低下していったと思います。消費生活協同組合が中心になった。

イギリスの場合、実は、産業資本のほうも、重工業化の中で退潮していった。重工業のためには、巨大な資金が必要ですが、イギリスにはなかった。重工業は、ドイツやアメリカのように、国家が直接に支援するようなところで発展しました。ところが、イギリスの資本は重工業ではなく、金融、そして、海外投資に向かったのです。それが、イギリス人ホブソンがとらえた「帝国主義」の状況です。だから、それはドイツやアメリカの金融資本を考察したヒルファーディング（『金融資本論』）の認識と違ってくるわけです。

——協同組合には、可能性が残されていないのでしょうか。

そうとはいえません。かつて、協同組合で資本制企業と対抗できた時期がありました。たとえば、ユーゴスラヴィアがそうですね。ソ連やソ連圏の諸国と違って、ユーゴスラヴィアは、協同組合にもとづく社会主義を築き、ヨーロッパと自由な交易をしていました。しかし、その結果として、一九七〇年以後、外国資本の浸透に抵抗できなくなった。さらに八九年には、連邦が解体されてしまった。ユーゴスラヴィアの他に、スペインでバスク人が創った有名な生産協同組合、モンドラゴンがありますが、これも資本制企業との競争によって苦境に立たされています。

しかし、資本制企業が及ばない領域がたくさんあります。人間の生活からいえば、もっと広くて根源的な生産の領域がある。農業、林業、漁業から、教育、医療、出版など。これらは本来、資本制企業ではやっていけないものです。また、資本制企業においても、現在、巨大企業がある一方で、ネットワーク型の産業が広がっています。これらは、ITによって可能になったものですが、容易に生産者協同組合に転化できるものです。たとえば、日本では、地方で大量の休耕地があって放置されています。それを使えば、自給自足的な「共同体」を作ることができます。

ただ、日本の現状では、協同組合法を作ることが先決でしょうね。先に、超出的な対抗運動と内在的な対抗運動が同時に必要だといいました。それは協同組合法を作るためには、一定の政治的運動が必要だからです。韓国では、協同組合基本法（二〇一三年施行）ができて、誰でも五人いれば協同組合が作れるようになった。おかげで、続々と組合ができて、今は四〇〇〇以上になっているそうです。

——生活クラブ生協の創立者である岩根邦雄さんは、生活協同組合には（流通）資本が決してつくることのできないものを用意できる、だから協同組合は対抗的にやっていける、それは組合員のタダ働きを動員できることだ、と語っています。

その場合、組合員がタダ働きをしても構わないとしたら、そのことで報われるものがあるからですね。とはいえ、それは互酬交換Aとも違います。たとえば、親が子供の面倒を見るとき、報酬は無い。しかし、誰もそれをタダ働きとはいいませんね。多くの親にとって子供の面倒を見るのは楽しいことだし、喜びです。つまり、無償であっても、それ自体において、報われているということです。その意味で、マルセル・モースは、純粋贈与も互酬的なものだといった。

それに対して反論した人類学者がいます。やはり、互酬（贈与とお返し）とは異なる純粋贈与があるのではないか、と。私も同感です。私は、厳密にいえば、互酬とは、贈与によって相手を縛るものだと思います。だから、親が子供の面倒を見ることは、互酬的ではない。互酬的となると、儒教のように子供に孝行を押しつけることになってしまいます。

互酬的でない、無償の贈与があると私は思う。むろん、それはある意味で報われているとはいえ、互酬的とはいいがたい。たとえば、岩根さんがいうような組合員の働きがそうですね。組合員が自発的にそうやっている。そして、彼らがそうするのはそれ自体で、十分に満足があるからです。いかに高賃金であっても、一般に賃労働にそのようなものはありません。むろん、賃労働でも賃金以上の満足が得られる場合があります。日本でかつてそうであったように、企業が擬似共同体であるような場合がそうですね。ということは、それは交換Cであるにもかかわらず、同時に交換Aにもとづいていることを意味します。

互酬的交換は、ふつう家族や共同体の中にあると考えられています。しかし、実は、それはマーシャル・サーリンズがいったように、家や共同体の内部ではなく、その外との関係においてあるのです（『石器時代の経済学』）。たとえば、贈与によって、相手の恐怖や敵意を抑え、友好的状態、平和を実現する。清朝がおこなった「朝貢貿易」もそのようなものです。一見すると、周辺国が朝貢したように見えますが、実は、そのお返しのほうがはるかに大きいのです。

たとえば、琉球王国は朝貢によって巨大な富を得た。それは清朝側の贈与です。ただし、その背後に隠れて、鵜飼いのようにその富をまきあげた者がいた。薩摩藩です。清帝国がそんな贈与をおこなうのは、周辺部では武力で制圧することが難しいし、高くつくからです。だから、贈与によって平和状態を維持する。この意味で「贈与の力」は、今後においても重要だと思います。私は、憲法九条のような戦争放棄（自衛権の贈与）に、そのような贈与、そして、「贈与の力」を見ています（『憲法の無意識』岩波新書）。

「神の国」と「超出的運動」

交換様式Dについて、私は、それが最初、普遍宗教というかたちであらわれたといいました。実際、それを検討すると、現在でも妥当するような問題が見えてきます。たとえば、「神の国」というと、彼岸にあると思われがちですが、そうではありません。ルカによる福音書にはこうあります。《ファリサイ派の人びとが、神の国はいつ来るのかと尋ねたので、イエスは答えて言われた。「神の国は、見える形では来ない、『ここにある』『あそこにある』と言えるものでもない。実に、神の国はあなたがたの間にあるのだ」》(第一七章第二〇‐二一節)。

イエスがいう「神の国」は、現にこの世に存在するものです。これは交換様式の観点から見ると、Dであるといえます。アウグスティヌスもそう考えていたと思うのです。『神の国』によれば、彼は「地の国」は「自己愛」に立脚する社会であり、「神の国」は「神への愛」ないしは隣人愛によって成立する社会である、という。それをいいかえれば、地の国は交換様式BとCによる社会であり、神の国はDによる社会だということになります。すると、資本=ネーション=国家は「地の国」であり、それを超出する運動体が「神の国」であると見てよいわけです。

アウグスティヌスの指摘で大事なのは、神の国が地の国とともに、あるいは混じり合って、存在する、ということです。神の国は地の国に従属することもなければ、依存することもない。とはいえ、神の国が拡大されて全体が神の国になるというわけではない。全世界が神の国となることは、人間の意志によってではなく、神の意志による「終末」によって実現される、ということになっています。

この場合、神による終末がいずれ来るから、今、人が神の国を各地に作ろうとすることは無駄ではないか、という考えがあるかもしれませんが、そうではない。人が「神の国」を作ろうとするからこそ、神から助けが来るのです。

同様のことが「超出的運動」についてあてはまると思います。先ほど、協同組合と株式会社の相似性についていいましたが、それも神の国と地の国に対応していますね。つまり、両方が同時に混ざりあって存在するのです。そして、株式会社を協同組合に変えるのは、実は簡単です。社員が一人一票の資格で、社長を選ぶようにすればいいだけですから。もちろん、「地の国」の法の下では、それは許されない。多数株主が経営権を握り、利潤獲得を至上とする。しかし、それを「神の国」に変えるのは、案外簡単なことだということを知っておいてもらいたい。もちろん、それが全面的に成就されるのは、資本主義の「終末」のときになるでしょうが。

協同組合では、労働力商品が廃棄されます。労働者自身が経営するのだから。ゆえに、協同組合には資本主義を超える可能性はあります。それは国有化とはまったく異なるものです。協同組合は共同所有であり、私有の否定ですが、国有化は私有財産の原理にもとづいているからです。たとえば、リーマン・ショック（二〇〇八年世界的金融危機）で倒産した大企業が一時事実上国有化されたことを想起して下さい。

超出的な運動とは、資本制経済の下で、非資本主義的な経済圏を作ることです。それが広がって、資本主義を圧倒するようになるかというと、それはない。しかし、それでもなお、超出的な運動は必要です。たとえば、世界経済が破綻したとき、以前にも起こったことですが、物資不足、食糧危機になって困窮することがあります。しかし、資本制市場経済とは別の「市場」があるなら、何とかやっていける。

とはいっても、超出的な運動は、たんにセーフティ・ネットのためにおこなうわけではありません。それは、資本主義的な市場経済の中にいながら、その中にないような感覚を喚起するのです。つまり、それは、Dあるいは「神の国」を感受させる。そのような感覚がないと、「社会主義」といっても、国家主義のようなものにしかなりません。

すでに一九七〇年代に、世界資本主義は一般的利潤率の低下によって危機に陥った。そのため、グローバルに市場を広げ、非資本主義的であった経済を巻き込むことによって、危機から遁れようとしました。それが新自由主義的政策であり、九〇年代ソ連崩壊後に、それがグローバライズされたわけです。しかし、それによる経済成長はまもなく終わります。再び、一般的利潤率の低下に陥るに決まっている。

すなわち、世界資本主義は早晩資本の増殖ができなくなって「終末」を迎えます。しかし、その結果、社会主義になるわけではない。交換様式Cがその限界に達したとき、社会はDではなく、Bに向かうでしょう。つまり、戦争、暴力的支配、侵略に。だから、それに対抗できるようにしておかないといけない。繰り返すと、その鍵は、非資本主義的な経済圏を確保しておくことにあります。

4 アナーキズムとマルクス主義

資本に対抗し、同時に国家にも対抗する

――そこで、二〇〇〇年、『トランスクリティーク』を書き終えたあとで、NAMの運動を開始されたわけですね。NAMの原理には、これまでの対抗運動になかったものがありますか。

これまでになかったようなものは一つもありません。ただ、それらに対する考え方が違うだけです。というより、これまでの見方を転倒する考えが生じたといってもいいのですが。そして、何度もいいますが、それは、生産様式から交換様式へという視点の転換によって生まれたのです。

――NAMの綱領で、大事なのは「国家と資本の揚棄」だと思います。これはどういう意味で

しょうか。

通常、資本主義を否定する、とか、終わらせるとかいう場合、国家が無視されています。というより、国家の政策によってそうするのが当然だと考えられているのです。しかし、それでは、国家が残ってしまう。国家が自然に消えてしまうことはありません。だから、資本の揚棄という場合、いつも、国家の揚棄を念頭においておかなければならない。

資本と国家を揚棄するとは、厳密にいうと、資本＝ネーション＝国家を揚棄するということですね。もちろん、それは実現することは困難です。ただ、国家が存在することを忘れてはいけない。というより、国家がいつも出てきます。

たとえば、新自由主義によって、資本主義がもたらす不平等が目立つようになると、それを改革しようという主張が出てきます。それはケインズ主義の回復その他、福祉国家時代の政策を復活させることです。それは現実的な改革であるかに見えます。しかし、資本は、福祉国家をやるほどの余裕がなくなったからこそ、新自由主義政策に向かったのです。だから、それに戻ることはありえない。したがって、それを目指すのは、現実的に見えて、実は非現実的です。それはせいぜい資本＝ネーション＝国家の範囲内での思考です。一度でもその枠を出て、考えてみるべきです。

私がＮＡＭを開始したのは、現実的にただちに実りがあるようなことを考えたからではありません。資本＝ネーション＝国家の枠組みを超えて考え実践することを試行するためです。

対抗運動の「統覚」としてのNAM

――先ず、NAM＝新アソシエーショニスト運動は、どこから来るのでしょうか。マルクス主義より、アナーキズムに近い感じもしますが。

確かにそうですね。私は一九六〇年代の初めに政治運動に参加して以来、「党」を目指すようなマルクス主義者の運動が嫌だったし、かといって、マルクスを斥けるようなタイプの美的アナーキストも嫌でした。そのどちらでもないようなものを考えていた。いいかえると、マルクス主義とアナーキズムを綜合するようなことを考えていました。

実は、私の著書『トランスクリティーク――カントとマルクス』は、そのような試みだったのです。だから、フレデリック・ジェームソンが『トランスクリティーク』英語版（二〇〇三年）の帯に、「マルクスとカントの綜合であるとともに、マルクス主義とアナーキズムの綜合である」と書いてくれたのは、我が意を得たり、という感じでしたね。

マルクス主義の場合、先ず国家によって資本主義を抑える、そうすれば自然に国家が死滅すると考える。しかし、そうはなりません。国家が強大化することになる。一方、アナーキズムは国家権力に対しては敏感ですが、資本主義経済への認識が欠けているので、それに対抗できない。アナーキストにも、ロシアのクロポトキンのように共産主義を掲げた人がいました。無政府共産主義ですね。むろん、これはボルシェビズムに負けてしまったのですが。

資本への対抗運動は、ふつう国家による規制ということになります。しかし、資本への対抗運動が同時に国家への対抗であるようなことがいかにして可能か。それは理論的にはアポリア（難問）です。私が「NAM原理」に関して考えたのは、このアポリアです。

これらについてはあとで説明しますが、通常、私はその手がかりを、アソシエーションに見いだしたのです。アソシエーショニズムというと、アナーキスト的なものです。しかし、マルクスも実に頻繁に、アソシエーションに言及しています。だから、マルクス主義者もアソシエーションと無縁ではないはずです。現に、一九九八年ごろ、『情況』の古賀暹が「アソシエ21」という団体を発足し、私は彼らに頼まれて記念講演をしました。

そのようなつながりがあって、私は大阪に移住したとき、アソシエーションについての本を書いていたマルクス主義者の田畑稔さんと会いました。彼がやっていた『唯物論研究』でも対談しました。彼の研究によると、マルクスの著作の中で使われているアソシエーションないしアソシエートという語が、日本語では、実に多様かつ恣意的に訳し分けられている。日本語だけを見ていると、とうてい同じ語の訳とは見えないほどですね。これでは、まともな理解はありえない。

たとえば、マルクスは、労働者が自発的に協働する場合、そのような協働をアソシエーションと呼び、資本家が労働者を雇って協働させる場合を、コンビネーション（結合）と呼んでいます。『資本論』でも、マルクスは、アソシエーション、すなわち、生産‐消費協同組合について多く言及しています。彼は共産主義を協同組合の延長上に見たのであって、それは国有化とは無縁です。国有化経済において、労働力商品は廃棄されない。労働者は国家公務員になるだけです。つまり、資本も国家も残ります。

一般に、マルクス主義者は集権的組織を志向し、アナーキストは集権的な組織を否定する。しかし、実際の運動において見ると、そう簡単ではありません。そもそも中央集権的な運動は成り立たない。運動が盛り上がるときというのは、実はきわめてアナーキーな状態なのです。それはアナーキストが主導しているからではありません。それが運動の現実なのです。私は一九六〇年の安保闘争において、それを経験しました。

アソシエーションは、マルクス主義とアナーキズムという長年の問題を綜合できるものだと私は思います。実は、私はそれに関して、カントからヒントを得たのです。ヒュームは、自己同一性はないといいました。先に述べたように、〝自己〟は自由連想の束のようなもので、たえず変動し、とりとめもないものになります。それに対して、カントは、そのようなものを統合するものがあると考えた。それが「統覚」ですね。それによって〝自己〟が成立する。むろん、この自己は（超越論的）仮象なのですが。

私は、この哲学的議論は政治的にも重要なのではないか、と考えた。自由連想は英語でいうと、自由なアソシエーションということです。いいかえれば、アソシエーションは自由な連合体ですから、放っておくと、恣意的で偶然的な結合になってしまう。だから、一種の「統覚」が必要です。

たとえば、アナーキストは、マルクス主義は中央集権的だと批判します。しかし、一定の「統覚」がなければ、どんな運動組織も成り立ちません。アナーキスト的集団にも実は「統覚」が存在するのであり、さもないと、たんに乱雑な集団にしかなりません。逆に、中央集権的な体制の下では、運動が一定以上には広がることがありません。メンバーも固定してしまいます。それが広がるにはアナーキーな、アソシエーションの要素が必要なのです。

私が一九六〇年の安保闘争で経験したのは、このことです。安保闘争の先頭に立ったブント（共産主義者同盟）はレーニン主義的な前衛党を目指していました。その下部組織が社学同（社会主義学生同盟）です。しかし、闘争が盛り上がってくると、実際に動いているのは、社学同、さらに、そこにも入らないような学生活動家です。安保闘争の後、ブントは諸派に分かれて、それぞれ、前衛的な党が存在しなかったことが敗因であると総括しました。そして、真の前衛党を作らねばならないといって、革マル（革命的共産主義者同盟）に移行しようとした。私は反対でした。それは現実に反するからです。

そこで、一九六一年五月に、私は東大駒場で「社会主義学生同盟」を再建しました。プチブル急進主義、学生運動でいいのだ、と私は考えたのです。今から思えば、それはアソシエーショニズムですね。しかし、このあと、社会主義学生同盟も、関西ブント派の下で、ブント再建を目指すようになった。その行き着いた先が連合赤軍事件です。

あらためていうと、自由なアソシエーションには一定の〝統覚〟があります。つまり、自由連合であることと統覚があることとは、対立するものではありません。現実にはそれらが両立するのであり、そのどちらかを優位に置くのは間違いです。それが「NAMの原理」です。

――NAMのニュー（New）は、それまでと異なるという意味ですね。

もちろんそうですが、私がそれをNAMと呼んだ理由は、むしろ先にNAMという名称を考えたからかもしれませんね。NAMは「南無（任せる、帰依）」に通じますし、語感がいいと思った。ニューヨークにいたとき、思いついたのです。ただ、私がNAMを考えたのは、アソシエーションが望ましいというより、むしろ、もうそうするほかない状況になったと思ったからですね。

それについて説明します。一九九〇年代には、中間勢力（労働組合、自治会、政党）などが弱体化してしまった。それまでは、そのような集団は、同時に個々人を拘束するものでした。だから、一九八〇年代までは、そのような共同体から出て、個人（単独者）として闘うというような考えが有効であったし、必要でもあったでしょう。また、会社は永久雇用がふつうでしたから、転職や〝脱サラ〟を称賛する雰囲気がありました。

しかし、九〇年代には、むしろ契約社員・派遣社員が増加した。これは自由・独立を意味しません。逆に、資本への無抵抗な従属となった。労働組合は事実上無くなった。新自由主義の下で「中産階級」が消滅したといわれます。九〇年代初期の日本人は九割が中産階級に属するという意識をもっていたのに、少数のリッチと多数のプアに分解してしまった。このことは資本に抵抗してきた「中間勢力」が消滅したこととつながっています。

こうして、古い共同体はいうまでもなく、企業、組合、その他にあった共同体的な組織が骨抜きにされて、その中の個人は相互に孤立してしまった。その場合、個人が無力となる。個人がしっかりと存在するためには、他の個人とつながることが必要です。それがアソシエーションですね。

アトム化した個人では何もできません。労働運動だけでなく、市民運動もできない。西洋の場合、自由都市はギルド集団のアソシエーションとして発展しました。つまり、都市はアソシエーションによって成り立っている。西洋ではそれが伝統としてあった。日本でも、一六世紀の堺はそういう都市でした。しかし、それは徳川体制の下で壊された。明治以後、市民というと、都市中産階級の個人という印象があります。彼らは村の共同体のようなものを嫌う。また、組織を嫌う。だから、デモや市民運動をやりたがらない。

確かに、かつては労働運動や学生運動があった。しかし、それは企業、組合、その他に共同体的な組織があったからです。それらが弱体化した時点で、デモや市民運動がなくなってしまった。九〇年代以後ずっとそれが続いていました。ところが、二〇一一年原発事故以後、これまでになかったようなデモが生まれたのです。それはもう、政党や組合の組織的動員によるものではありません。デモは今やアソシエーションによって成り立っている。大きなデモも、大組織によるのではなく、多数の小さなアソシエーションのアソシエーションとして成り立つ。今世紀の初めにおいて、私はアソシエーションを、日本においてこれまでの運動を乗り越える一つの鍵として考えていたのですが、その典型的な例をデモの変化に見いだしました。

「大統領制化」する議会制民主主義

――政党に関しても、九〇年代以後変質しました。前のような政党がなくなってしまった。社会党が消滅しただけではない。これはどういう変化なのでしょうか。

九〇年代に、日本では二大政党体制が壊れた。これは米ソの冷戦体制（二項対立）の崩壊にともなって、それに対応してきた日本の戦後政治、つまり、自民党－社会党の体制が崩壊したということです。そこで、どうなったか。社会党が消滅しただけでなく、それまで複数の「派閥」から成り立っていた自民党も崩壊した。それは小選挙区制のせいだといわれます。実際、その通りですが、小選挙区制そのものに、それまでのシステムを否定する契機がふくまれていたとも思います。

このような変化は、欧米でも起こっています。その点で、私は『大統領制化』(トーマス・ポゲントケ他、ミネルヴァ書房)という本に説得されました。彼らは現行の議会制民主主義では「大統領制化」という現象が生じると主張します。簡単にいうと、それは、行政府の長(首相ないし大統領)が、議会(立法府)による制約から自立すること、また、政党が弱体化し、選挙過程が政党ではなくリーダー個人の人気に左右されるようになる、ということです。ちなみに「大統領制化」は、たんに議院内閣制においてだけ生じるのではない。大統領制があるところでも同じです。たとえば、米国では、大統領は議会や支持母体の政党に規制されてきたのですが、レーガン以来、政党はもはや大統領を選出したり規制したりする力をもたない。その意味で「大統領制化」したわけです。

この本は「大統領制化」という仮説を、各国での共同研究によって裏づけようとした。その調査の範囲は、ヨーロッパ諸国、さらに、カナダ・アメリカ・イスラエルなどに限られています。しかし、これは多くの点で、日本にも当てはまります。たとえば、一九九三年に知事から衆議院議員に転じた細川護熙は、政党の支持よりも、個人的な人気によって首相となった。それが強固に存在した自民党と社会党という政党の体制を解体してしまった。以後、小選挙区制によって、政党は以前のような強さをもたなくなり、リーダーの個人的な人気が中心となりました。「自民党をぶっ壊す」と叫んだ首相、小泉純一郎がその典型です。彼はその言動において、それまでの日本のどんな政治家よりむしろ、レーガン(米国)、ベルルスコーニ(イタリア)、サルコジ(フランス)のような政治家に似ています。

では、なぜ彼らは似ているのか。また、この類似性には、いったいどういう意味があるのか。「大統領制化」という観点から見ることによって、それを理解する糸口が見いだせる、と著者らはいうのです。彼らは「大統領制化」の原因を、次のような点に見ています。人びとの階級帰属意識が薄れ、政党への組織の関与が弱まり、大きな変革をめざす政治的代替案が信用を失い、諸政党が互いに似通ったものとなった。有権者にとって、判断の手がかりはリーダーの人格にしかない。この点では、世界各地の政権は「大統領」化しています。政党は名前だけです。大統領的な政治家の配下の集まり（徒党）にすぎない。日本の安倍政権もそうです。

ともかく、個人がアトムとなった状態では、政党よりも、リーダー個人を仰ぐものになってしまう。旧来の政党はこの傾向に対抗できなかった。それに対抗しうるのは、旧来のタイプの政党ではなく、アソシエーション、あるいはアソシエーションのアソシエーションとしての政党だと思います。

5 NAM再考

運動の諸問題

――ここで、NAMの運動の開始とともに生じた諸問題について、お話を伺いたいと思います。先ず、NAMを大阪で始められたことには、どういう意図があったのでしょうか。

大阪をあえて選んだわけではありません。先ほどいったように、私は一九九八年から大阪に移住していました。交換様式についての考えなどを突然思いついたのも、そのころです。そして、NAMを始めたのも大阪においてです。もし東京にいたら、そんなことはやらなかったでしょうね。大体、知識人の運動は東京が中心です。そもそも大学や出版社の数が圧倒的に多いから。私も当時まだ、東京で『批評空間』を出していました。しかし、そのような場所で、新たな運動を始めることはできない。

というより、そうしたら、旧来のような運動になるか、『批評空間』の続きになってしまうだろう。

大阪で始めることは、それまでの東京中心主義をくつがえす、「地域」主義でもありました。しかし、別に、そのような意図があったわけではないんです。たんに、九八年に大阪に移住したからです。実は、大阪にしばらくいて、そのあと、アメリカに移住するつもりでした。その前に、母が病気になったので、最後に親孝行をしておこうと思ったのです。前から中上健次を通して知り合いだった、近畿大学の創設者かつ総長であった世耕弘一氏に近大に来るように誘われていたし、しばらく関西にいようか、と思ったわけです。

NAMを始めたきっかけは、こういうことです。先にいったように、先ず九八年ごろ東京で情況出版をやっていた古賀暹に頼まれて、「アソシエ」という組織が開いた講演会で話し、さらに、関西に引越すなら、アソシエ関西支部を作ってくれないかと頼まれたのが、きっかけです。つまり、「アソシエーション」と名乗る運動を始めたのは、むしろ彼らだったのです。最初は断わったのですが、何度も頼まれ、なりゆき上、大阪で運動を始めることになった。そして、古賀から紹介された、関西ブント系の活動家と一緒に活動するようになった。しかし、そうなると、すぐに嫌になった。あまりにも古くさいので。

これは、私が一九六一年にブント解散後に「社会主義学生同盟」を再建しようとしたときに、経験したことと相似しています。簡単に説明すると、一九六〇年の安保闘争のあと、共産主義者同盟（ブント）は三つの党派に分かれて半年ほど論争したあげく、解散し、幹部は、黒田寛一が率いる革命的共産主義者同盟に移行した。その後、革共同の中で、ブントから移行した連中が中核派として分裂し、革マル派と対立したわけです。一方、東大派（「革命の通達」派）と、京大などの関西ブントは、革共同に行くことを拒否し、ブントを再建しようとしていました。

その時点で、そのような総括を批判したグループがあった。その中心となったのが東大駒場の活動家、すなわち私です。旧ブントが解散した後、私は一九六一年、その下部組織であった社会主義学生同盟(社学同)を東大駒場で再建しました。そのあと、東大本郷と京大系の関西ブントの連中が私の所にやってきたのです。当時は駒場を握ると、全国を握れると考えられていた時代だから、あちこちから、誘いが来た。廣松渉も来ました。私が一九歳のころです。

しかし、その夏、社学同が全国的に再建された段階で、私はやめました。なぜなら、彼らは社学同を再建して、次にブントを前衛党として再建する考えだったからです。それでは革マル派や中核派と大して違いがない。しかし、実際、それは六〇年代後半に、ブントとして再建されたのです。その結果、六〇年代末に「三派全学連」が成立するにいたったわけです。そして、七〇年以後、日本の新左翼運動は衰退の一途をたどった。

二〇〇〇年代に私が関西で見いだしたのは、一九六一年の時点で、私が袂を分かったのと同じような人たちでした。かつて私は無力であったから、運動をやめてしまった。それから四〇年も経っているのに、また同じことを繰り返すわけにはいかない。今度は自分の考えでやるぞ、と決めたのです。しかし、よく考えて用意してやったわけではないから、うまく行かなかった。大阪で立ち上げたものの、本を出版するとなると、東京になりますし、NAMに参加してきた人も東京からが圧倒的に多い。そうでなくても、『批評空間』の読者が多い。つまり、彼らは活動するより読み書く人たちです。

また、中心メンバーの間でも、大阪側に東京への地域的反撥があり、対立がどんどん強まった。何しろ、互いに会ったことがないのに、当時まだ一般化していなかったインターネットのメーリング・

リストでやりとりしたからです。その上、私はニューヨークのコロンビア大学で隔年一学期教えていたので、日本にいないことが多かった。だから、状況を把握し、調整するための時間がなかったのです。

だから、大阪で始めたことに意義がある、ということはとてもできません。むしろ、そのために、いろいろと友人たちに迷惑をかけてしまった。太田出版の社長だったあなたにも助けていただいた。NAMの本部は大阪にあったけれども、実際の拠点は、東京事務局、というより、太田出版にあったともいえるのです。ある意味で、私がやったことは、大阪でいうとボンボンの道楽仕事のようなものです。とはいえ、たぶん東京にいたら、こんな無茶なことを始めていなかったでしょうね。

——「FA宣言」（二〇〇二年）（本書二八一頁に掲載）でも述べていらっしゃいますが、地域通貨の問題でも対立があったわけですね。

私はNAMを呼びかけたとき、「アソシエーションのアソシエーション」を考えていたのです。つまり、各地で何らかの対抗運動をやっている人たちが集まることを。しかし、そのような人たちもいましたが、大多数はそうではなかった。いわば『批評空間』の読者であって、そもそもどんな運動もやったことのない人たちでした。そして、そのような人たちが一般に関心をもち、参加することができた問題は、地域通貨です。だから、NAMといえば、地域通貨をやっているというような定評があったのですが、別にそういうわけではない。それは、多くの「関心系」の一つにすぎません。

NAMで地域通貨を実践しようとしたとき、問題は、それが「地域の通貨」ではなくて、全国的な電子通貨を開発することをめざすようになったことです。当時、私がいた尼崎の自宅に、LETSの創始者マイケル・リントンが訪ねてきたことがありましたが、彼はそのような考えに反対でした。LETSは基本的にL(ローカル)から始めるべきで、そうでないと意味がない、というのです。LETSを実行するには、実際の場所および人間の関係が大事です。それは短期間ではできない。だから私は、ゆっくり各地でやればよい、と考えていました。が、メンバーの間で電子的な地域通貨のためのソフト開発が優先された。

このようなソフトは、金を出してプロに頼めばすぐにできるものです。皆でソフトを開発したからといってさほど意味はない。難しいのは、「地域」に根ざすことです。そこでこそ、地域通貨といえます。われわれが必要としたのは、電子通貨、あるいはビット・コインのようなものではない。小さな地域で用いられる通貨です。実は、NAMには、すでに地域通貨を実践している人がいました。愛知県北設楽郡で設楽農学校をやっている、湯本裕和さんという人です。彼はリントンと同じ元技術者ですが、LETSとは異なる地域通貨のソフトウエアを自分で開発していました。しかも、パソコンがなくても使える、勝手のいい紙の通貨を使うものでした。まさに「地域の通貨」を実行していたのです。

他にも、実用できる地域通貨を工夫している人たちがいました。しかし、そういう人たちは発言しなかった。メーリング・リストで不毛な論争をすることをいやがったのです。そのような雰囲気が生まれたら、どうするか。むしろNAMを解散したほうがいいと私は思った。電子的な地域通貨を開発したい人は自分らでやってくれ、と。それが解散の具体的なきっかけですね。さらに、二〇〇二年には、批評空間社の社長でNAM創設にも関与していた内藤裕治が若くして癌で亡くなった。私は東京どころか日本を離れていましたから、彼が亡くなったことは痛手でしたね。NAMだけではなく、批評空間社も解散しました。

NAM解散の時点では、私は「関心系」などで幾つかのグループが継続するだろうと思っていました。だから、とりあえず、それらの連絡会議があればよい、と考えた。

「FA宣言」によりNAMは一般名詞となった

――ここで、NAM解散にあたって柄谷さんが二〇〇二年に発表された「FA宣言」の問題に移ります。この「FA」はどういう意味だったのですか。

先にいったように、それは日本のプロ野球で流行っていたFA（フリー・エージェント）宣言という言葉と、ヒュームのいう自由連想（フリー・アソシエーション）を引っかけたものです。たとえば、ヒュームは、「自己」は存在しない、自由連想の束しかないといったのですが、カントは、自己は（超越論的）統覚としてあるといった。NAMはそのような「統覚」である、と私は考えていましたが、現実に、それが硬直したものになってしまうなら、自由連想に戻ってやりなおすべきだと考えたわけです。個々のアソシエーションに戻れ、ということです。

ただ、このFA宣言において私がいいたかったのは、むしろ、次のようなことです。NAMは解散する、それによって、NAMは固有名詞ではなく、一般名詞になるということです。それは「新しいアソシエーショニストの運動」という意味ですから、そもそも一般名詞です。

そのようにいったとき、実は、私は『共産党宣言』のことを念頭に置いていました。これは、マルクスとエンゲルスが一八四七年に結成された共産主義者同盟の綱領として大急ぎで書いたものです。実は、「共産党」は存在していなかったのです。しかも、彼らはそれを創ろうとしたわけでもない。一九世紀ヨーロッパに共産党という政党は存在しなかった。共産党が生まれたのはロシア革命以後です。また、「党」はレーニン主義的な前衛党を意味するようになった。マルクス・エンゲルスのいう「共産党」(共産主義者同盟)は、そういうものとは異質です。それはいわば「新しいアソシエーショニスト運動」であった。

『NAM原理』に関しても、同様のことがいえます。NAMはその解散後には、一組織から、New Associationist Manifest(新アソシエーショニスト宣言)という意味になったのです。といっても、『NAM原理』の中で修正すべき点があるかといえば、あまりありません。もちろん、そのときの成員・地域・通信技術などに制約された組織論は、解散の時点で意味をなくしたから、とりのぞくべきです。その他にも、欠けていると思ったことがいくつかあります。しかし、それらは私がNAMを結成してから出会った諸問題です。私はそのときに出会った課題を、その後の著作において検討してきた。たとえば、『世界共和国へ』(岩波新書、二〇〇六年)という本もその一つです。

NAM的運動が目指すのは、「アソシエーションのアソシエーション」です。そのベースは小さいローカルなアソシエーションです。それは地域、関心、階層などによって形成されます。そこでは、成員の間に直接的なコミュニケーションがあることが必要です。これらのアソシエーションが「アソシエーションのアソシエーション」を形成する。後者は、各アソシエーションの代表者たちの協議によって運営される。おわかりのように、これは「FA宣言」を理論化したものです。

もう一つは、一国を超えたレベルにかかわる問題です。具体的にいえば、国連を再評価することです。これについては、後で述べます。以上、いずれも、二〇〇〇年代初頭のNAMでの経験から来るものです。ただ、今いっておきたいのは、NAMは解散したが、アソシエーションの運動が終わったわけではないということです。

――実際、NAMが解散したのちも、new associationist movements は続いたと思います。私も、当時のメンバーたちとの交流を続けてきました。

そうです。あまり認識されていないようですが、NAMに入っていた個々のアソシエーションは続いています。たとえば、「関心系」では、いろんなカテゴリーがありましたが、NAM解散後は、それぞれが運動を継続していったといえます。ところが、NAMにいたと称する人たちは、それを知らないようです。それは、彼らがアソシエーショニズムと無縁で、たんにNAMという団体に登録しただけだということを証明しています。

NAM解散後、FAとして活動を続けた人として、まず名を挙げたいのは、高瀬さん、あなたですね。あなたは太田出版で、雑誌『at』を発行し、その後、生活クラブ生協に移行した。NAM当時は、MLでの争いの影に隠れて、きちんとした運動をしているメンバーたちの姿が見えなかった。しかし、あとになって、消費者協同組合、ホームレス支援、農業、教育などの分野で、注目すべき活動をしていた人たちがNAMに名前を連ねていたことを知りました。それを知って残念に思いました。NAMが、彼らから学べることが沢山あったはずなのに、それができないまま終わってしまった。その中には、私の知る限りでも、今日まで活動を続けている人たちが複数いますし、その活動を広く知られるようになった人たちもいます。

また、震災以後デモが大きくなりましたが、それを支えているのは、政党などではなく、数多くのアソシエーションです。今は労働組合が弱いし、人がデモに来るのは、一種のアソシエーションを通じてだと思います。たとえば、私が属しているのは、associations.jp、通称、アジャパーです。それは、かつてのNAMと直接のつながりはありません。ついでにいうと、私は反原発デモを通して、「素人の乱」を率いていた松本哉と知り合いました。彼は「貧乏人」とか「マヌケ」と自称し、理論的なことは一切いいませんが、高円寺商店街でリサイクル・ショップをやりながら、独自のアソシエーションを作ってきたと思います。

したがって、アソシエーションの運動はさまざまな形で続いているのです。私が今後にできたらと思うのは、アソシエーショニストらの連絡会議としてのNAMです。それは、個々のアソシエーションの上位にあるものではありません。個々人が、それぞれのアソシエーションの経験を踏まえて、「資本と国家」に対抗する運動を理論的に討議するような場です。

旧NAMの原理には、かつての通信技術や成員の状態に規定された限界がありますが、今でも捨てがたいものもあります。たとえば、組織原則として、「選挙とくじ引き」で、執行部を決めるというやり方をとったことです。それは選挙だけでなく、くじ引きだけでもない。たとえば、選挙で三名選び、そのあとをくじ引きで決める。実際、NAMではこのやり方で、私の次に、田中正治さんがNAM代表になったのです。

通常、アテネの民主政は議会にあると思われていますが、むしろ、市民の公務をくじ引きで決めたことにあります。そして、これは古代アテネの独自のものではありません。くじ=神意によって決めるのは、世界的にある古い慣習です。たとえば、室町時代の将軍足利義教は、くじ引きで選ばれている。では、くじ引きなら何でもいいかというと、そうではない。全部をくじ引きで決めることは無意味であり、結局、それ自体が否定されてしまう結果になるでしょう。たとえば、アテネでも、軍隊の人事はくじ引き制にもとづいていない。くじ引きが採用されたのは、陪審員や、誰がやってもよく、そして誰もやりたがらないようなポストに関してだけです。つまり、今日でもそうですが、くじ引きは、能力が等しいか、あるいは能力が問われないときにのみ採用されます。

しかし、私がくじ引きを推奨するのは、能力のある者を選ぶためです。その場合、大事なのは、それを選挙と組み合わせることです。選挙で何人かを選ぶのですが、最後にくじ引きをおこなう。神意があろうとなかろうと、最後にくじ引きで決まるのであれば、選挙の過程で画策したり票固めをしたりする意味がない。だから、派閥を作る意味がない。くじ引き制によって、逆に、選挙制が活きてくるのです。結局、衆目の認める能力をもった人が選挙によって選ばれるようになる。であれば、最後は、くじで決めてもさしつかえないことになる。だから、私はこのシステムは一般に採用してよい、と思います。企業でも国政でも。旧NAMでこういうやり方が実行されたことは、ささやかだけれども、重要な実験です。

「引退者」と「学生」という階層

さらに、私が最近になってその重要性に気づいたのは、「階層系」の、学生および引退者という区分です。『NAM原理』では当初、引退者という階層がなかった。それは、先ほど述べた湯本裕和さんの提案によって作ったのです。学生は、まだ企業その他に従属していない段階にある。ゆえに、自由に普遍的な立場で考えることができる。かつて武井昭夫が学生を、階級・ジェンダー・エスニックなどとは違った「層」と見なしたのは、そのためです。であれば、引退者も同様に、一つの「層」として見てよいのではないか。もはや企業その他さまざまな規制から離れた立場に立つのだから。しかも長い経験を積んだ上で。なるほど、と私は思いました。

私はむしろ、近年になって引退者という「層」の存在を実感するようになりましたね。たとえば、反原発のデモに行くようになって気づいたのは、引退者が多いということです。老人が多い、と考えてはいけない。彼らは引退者という階層です。この「層」は今後も拡大するでしょう。一方、「層」としての学生は消滅しかけています。入学とともに「就活」に励まねばならないような時代ですから。

――学生を階層系としたとき、武井さんの「層としての学生運動」という考えを踏襲したということを、以前におっしゃっていましたね。

武井昭夫(一九二七～二〇一〇年)は文芸評論家、労働運動指導者ですが、戦後初期に、「全学連」を組織したことで知られていました。それに関して、私は『批評空間』で、彼を招いて詳しく話を聞いたことがあります。彼は、学生を、階級とは別の、「層」と見なして、全国に学生自治会の運動を組織した。それが全学連(全日本学生自治会総連合)なのです。

戦前のマルクス主義運動では、学生は「層」として、独自の意味をもつとは考えられなかった。学生はプチブルジョア階級であり、プロレタリア階級のために働くべきだと考えられていました。その意味で、学生の活動家は多かったけれども、武井さん以前に「学生運動」というものはなかったのです。彼の考えが当時の共産党中央から承認されたかどうかはわからない。ただ、全学連の運動なしには、共産党の活動は成り立たないから、認めざるをえなかったでしょう。

したがって、「学生運動」が日本で始まったのは、学生を自立した「層」としてとらえる武井理論にもとづくことによってです。ここで重要なのは、彼が全国をまわって自治会を組織したとき、同時に、大学生協をも組織したことです。それによって、戦後の学生の「生活」を確保した。その意味で、まさに学生運動です。学生による運動であるだけでなく、学生のための運動でもあったから。

彼が全国の大学に創設した「自治会」は、英語でいうとカウンシル、すなわち、評議会です。ロシア語でソヴィエト、ドイツ語でレーテという。つまり、彼らは、学生評議会を全国に創ったのです。それは、生協と合わせて、いわば評議会コミュニズムの構想であったといえます。

私は一九六〇年四月、安保闘争の最中に東大に入りましたが、当時の自治会のやり方は、武井さんが一九四七、八年ごろに始めたものと同じでした。たとえば、大学で、一日のストライキをやろうとすれば、全クラスの討論を経て、自治委員および代議員を選出、次に、自治委員会で討議・決定、さらに七〇〇人ぐらいの代議員大会で、討議・決定するのです。実に面倒なプロセスですが、クラス・レベルの討議では、学生の本分は勉強だ、ストはよくない、というような反論があり、これを討論によって説得する。これは、それまで何も知らなかった学生にとっては、評議会民主主義の訓練（ディシプリン）でもあります。

このようにしてなされたストライキの決定は、拘束力があります。教授会もストライキに対して形式的な処分をしますが、学生の決議を尊重する。一九六〇年の全学連あるいは旧ブント（共産主義者同盟）は、こういう評議会民主主義に立脚していたのです。ブントは一九五八年に、共産党の学生組織から、つまりは、「全学連」から生まれたものです。このようなあり方は、六〇年代後半には消えてしまった。今の人たちには、想像もできないでしょう。むしろ「全共闘」のやり方のほうが知られています。

――柄谷さんは、駒場生協の理事をなさっていた経験があるそうですね。

駒場生協の学生理事はブント系だったから、その一人として理事になった。しかし、このときは、協同組合についてまったく無知で、勉強もしなかったですね。すでに大学生協は、武井さんが考えたような時期とは、大分変わっていたと思います。現在も、多くの大学に生協があるでしょうが、それが本来「学生運動」であったということは、完全に忘れられていると思いますね。

六〇年代末には、「全共闘」というかたちで学生運動が復活したのですが、まもなく、新左翼諸派が自治会や生協を牛耳るようになった。討議も合意もなく、実力によって、キャンパスを占拠するようになった。これでは、学生がやっていても、もはや「学生運動」ではないですね。

――六〇年代末では、大学生協も、新左翼セクトに握られていました……。

ある意味で、このような変化は、一九六〇年前後一〇年間の、高度経済成長の結果だといえます。

実際、大学生の数が飛躍的に増えました。学生はもうエリートではなく「大衆」となった。しかし、私はやはり、左翼の側に責任があると思います。

先に述べましたが、六〇年安保のあと、その敗北をめぐって、ブントの中で論争があった。といっても、安保闘争が敗北したのは、ブントがプチブル急進主義であったからであり、今後に、プロレタリア的階級意識をもった「党」を建設しなければならない、という主張が一般的でした。ここから生まれた諸党派が、六〇年代末の運動を仕切ったわけです。

私は一九六一年初夏に、「社会主義学生同盟の再建」を唱えた。それはいわばNAMのようなものです。そのときは、私はこう考えた。六〇年のブントは実は「学生運動」であり、それゆえにこそ、労働者・市民の運動を広汎にもたらしえたのだ。ところが、彼らは、それが学生運動であったからだめだった、という。そして、プロレタリア的階級意識をもった革命家の党を作るべきだ、という。「学生運動」を破壊したのは、このような連中です。

六〇年代は、ブント解散後、前衛党を目指す三つの派による新左翼運動が中心となりました。そこから、大衆運動あるいは学生運動は起こらなかった。起こるはずがない。しかし、思いがけず、六〇年代後半から学生運動が起こってきたのです。それは、これまで学生運動の名門でなかった大学、たとえば、慶応大学、日本大学、上智大学のようなところで起きたのです。つまり、戦後、武井昭夫が全学連を組織したころには、その視界に入らなかったような大学です。それはまた、六〇年以後に起こったことと関係があります。五〇年代後半から経済成長の結果、大学の進学率が倍増し、大学および学生の数が激増したことです。

そこに起こったのが「全共闘」です。それはある意味で「学生運動」の続きであったといえます。

実際、それは学生自治会（評議会）の精神を継承するものだった。もちろん、彼らはそう思っていなかったでしょう。私の見るところ、継承ということは、意識的になされるものではない。意識的に継承すると、大概似ても似つかないものになります。まったく知らないでやったことが、知らぬまに前のものを継承することになっているのです。当人たちはそれに気づいていないが。

そういうことが起こるのは、このような運動が誰かが創始したというようなものではないからです。たとえば、私はＮＡＭを創設したけれど、アソシエーションあるいはアソシエーショニズムは昔からあります。それは意識的なものではなくて、無意識的なものです。

しかし、マルクス主義者は一般にこういうものを「自然成長的」なものと見なし、それを意識的に統御しなければならないという考えをしています。全共闘のような運動に対して、新左翼諸党派はそう考えていた。それはまちがいです。ただ、全共闘のような運動は拡大・発展しているときはいいのですが、停滞し始めると、熱心な活動家しか残らない。つまり、新左翼党派しか残らない。そして、全体が衰退する中で、彼らはもっと強い党組織、もっと過激な闘争が必要だと主張するようになります。学生運動のプチブル性を批判して、よりプロレタリア的・レーニン主義的、あるいは毛沢東主義的な党組織を作ることを唱える。

そのようにして、全共闘運動は、新左翼諸派に解体・吸収されていったのです。しかし、これは一九六〇年にあったことの反復です。彼らはそのことを知らない。自分たちに固有の体験だと思っている。しかし、そうではありません。以上のような六〇年代の運動に関しては、『柄谷行人 政治を語る』（『政治と思想 1960-2011』平凡社ライブラリー所収）で、大分話しました。

——二〇一四年に台湾で起きた学生運動「ひまわり」では、活動家の間で、柄谷さんの本がよく読まれていたそうですね。特に『政治を語る』が。

中国の汪暉（清華大学教授）によると、私が台湾の運動の黒幕だという評判があったようで、私が清華大学で教えた彼の学生たちがそれを聞いて喜んでいたということです。そのことに関して上海の雑誌からもインタビューを受けました。しかし、私は台湾の運動にまったく関与していません。

そのとき、私は四つの講演をしたのですが、その一つは、日本の学生運動に関するものでした。最初はその予定ではなかったのですが、台湾に行くと、インタビューなどで、「学生運動」の可能性について問われて、ちょっと考えさせられた。そういえば、今の日本には「学生運動」がないな、と思ったのです。

台湾にも、韓国にも、学生運動があります。そして、学生運動に対して一定の敬意が払われている。日本にもかつてそれがあったのですが、今はない。なぜか。かつて学生は少数のエリートであったけれども、現在はそうではなくなった、というようなことは理由になりません。何よりも左翼の運動がそれを破壊したのです。

日本の学生運動についてまとまったことをいう機会はなかったし、たぶん、今後もないと思うので、そのときの講演を掲載します（「学生運動とは何か」本書二〇二頁）。

「マルチチュード」が起こした9・11

──二〇〇一年、NAMが開始してまもなく、9・11の事件が起こり、さらに、イラク戦争になりました。

実は、それがNAM解散の原因の一つですね。もう一つは地域通貨に関する対立です。そして、私はFAを宣言した。そのときの経験を踏まえて、私は「NAMの原理」を改訂しました。そして、次の条項を加えた。

NAMはまた、国家の内と外、すなわち、小さな地域と大きな国際世界に向かう。いいかえれば、NAMは一方で地域の自治に向かい、他方で「世界共和国」(カント)を目指す。それらはいずれも、国家と資本を超える基盤となるものである。

現在、われわれは、どこでも資本=ネーション=国家の中にあります。そこで資本と国家に対抗する運動は、何に留意すべきか。最も警戒すべきものは「ネーション」です。なぜなら、ネーションはある意味で、交換様式Aの回復であるからです。つまり、それは、氏族あるいは農耕民の共同体がCの浸透によって解体されたあと、想像的に回復された共同体、すなわち「想像の共同体」(アンダーソン)です。しかし、これはけっして共同体の回復にはならない。なぜなら、ネーション(国民)において回復されるのは、部族や民族（エスニック）のようなコミュニティではなく、国家の枠組みによって作られた虚構にすぎないからです。

別の観点からいうと、資本・市場経済は、共同体を解体すると同時に、彼らをネーションとして統合します。しかし、想像物であるとしても、ネーションは、資本や国家とは異なる「力」をもっています。それを通して、資本と国家が存在を確保する。いいかえると、資本や国家に対する対抗運動は、さまざまな点で、ネーションに足をすくわれます。一九三〇年代に社会主義者の運動がファシスト（ナショナル社会主義）に敗れたのは、後者がネーションをもってきたからです。今日でも、社会主義者の運動はネーション（国民）の生活を護れという声に屈しています。その結果、いつのまにか、資本と国家を支援することになってしまっている。

したがって、現在、共同体を回復しようとするならば、何よりも「想像の共同体」を斥けなければならない。その場合、二つの道があり、しかも、そのいずれもが不可欠なのです。その一つは、ネーションなどよりも小さな「地域」のコミュニティを目指すことであり、もう一つは、ネーションを超えた「インターナショナル」なコミュニティを目指すことです。

一方で、アソシエーションは、人が具体的に出会う、小さな空間においてあります。それは、交換Cにもとづいて形成される広い空間とは異なる。もちろん、アソシエーションも「アソシエーションのアソシエーション」として、大きくなる可能性があります。しかし、その基底にあるアソシエーションは必ず、人びとが出会う空間に根ざしていなければならない。その意味で、アソシエーションは「地域」の空間にあるといっていいわけです。たとえば、われわれが「地域通貨」と呼ぶものは、Cから生まれた貨幣とは違います。後者が共同体あるいはAを解体するのに対して、「地域通貨」は

Aを保持しつつ、それを拡張するもの、すなわち、Dなのです。

以上の点から見ると、二〇〇〇年の時点でNAMにあった問題が見えてきます。アソシエーションは元来、小さなものです。NAMはそのようなアソシエーションのアソシエーションです。しかるに、われわれの作ったNAMでは、小さなアソシエーションがなくて、NAMという組織だけがあった。それは小さな「地域」に向かわなかった。たとえば地域通貨と称して、実際は全国的な通貨を目指していたのだから。これではアソシエーショニズムとはいえません。だから、私は、NAMを解散して、小さなアソシエーションから再出発することにした。それがFA宣言の要だったのです。

もう一つ、NAMの経験として重要なのは、逆に、それが「大きな」レベルを見ないでいた、ということです。具体的にいえば、それは、二〇〇一年9・11から発した問題です。たとえば、私はNAMの運動を開始したとき、外国のことを考えなかった。もちろん、日本のことだけを考えていたわけではありません。実際、NAM原理の英語版も作っていたのですから。ただ、私は、日本でやっている運動が、他国で行なわれている運動と自然に連合することになるだろうと、漠然と考えていたのです。

たとえば、私は一九九九年のシアトルでの暴動に代表される反グローバリズムの国際的運動にシンパシーを抱いていました。それは基本的にアナーキストによるものですが。私はまた、一九九〇年代に風靡したネグリ&ハートの「マルチチュード」の世界的反乱という考えにも賛同していました。また、九〇年代にデリダが「新しいインターナショナル」を唱えたことにも賛同していた。たぶん、彼らは皆、一八四八年のマルクスらの『共産党宣言』、つまり、「万国の労働者、団結せよ」が再現されることを期待していたのだと思います。ちなみに、一八四八年のころの「プロレタリアート」は、

「マルチチュード」と同じような意味だったのです。

しかし、そのような見通しが間違いだったことを、私はまもなく悟った。それが二〇〇一年九月一一日です。たとえば、アルカイダはネグリらがいう「マルチチュード」の典型だったのですが、その時点以後、ネグリらはそれを除外し、まるで存在しなかったかのように扱った。それは、各地の対抗運動は、自然につながるより、むしろ諸国家・ネーションによって分断されるということを意味します。だから、簡単に、インターナショナルとか世界同時革命などをいうことはできない。しかも、9・11は、ちょうどわれわれがNAMを始めた後に起こったのです。では、どうすべきか。私はNAMを解散した後、その問題を考えるようになりました。

たとえば、マルクスが「インターナショナル」を考えた歴史的な背景は次のようなものです。彼は『ドイツ・イデオロギー』で、こう述べています。「共産主義は、経験的には、主要な諸民族が『一挙に』、かつ同時に遂行することによってのみ可能なのであり、そしてそのことは生産力の普遍的な発展とそれに結びついた世界交通を前提としている」（『ドイツ・イデオロギー』）。つまり、国家を揚棄するような革命は、一国だけではありえない。国家は他の国家に対して存在するのだから。ゆえに、社会主義革命は世界同時的でなければならないと、マルクスは考えたのです。「世界同時革命」という考えは、ここに発しています。

一八四八年のヨーロッパ革命は、「世界同時革命」といえるものでした。しかし、それらは各国で連動してはいたものの、意識的な連帯がなく、それぞれ敗北してしまいました。以後、マルクスやアナーキストのバクーニンは、次の革命を「世界同時革命」たらしめようと、「インターナショナル」（国際労働者協会）（一八六四年）を結成しました。しかし、これはマルクス派とバクーニン派というより、実際は、ドイツとロシアというナショナリズムの対立によって事実上分解してしまった。その後に形成された「第二インターナショナル」も同様で、最後は、第一次大戦において、各国の革命党がそれぞれの国の参戦を支持して分解してしまった。その後、ロシア革命とともに「第三インターナショナル」(コミンテルン)ができましたが、これはソ連の共産党が支配する体制でしかなかった。「インターナショナル」とはほど遠いものです。

だから、そのような歴史的経験を無視して、「新たなインターナショナル」を唱えるのは不毛です。では、どうすればよいのか。私は先に、カントを読み込んだ上でNAMの理論を考えたのですが、あらためて、この問題をカントに戻って考えようとしました。私はそのとき、カントがある意味で、「世界同時革命」を考えていたことに気づいたのです。「世界市民的見地における普遍史の理念」(一七八四年)という論文です。彼はもともとルソー的な市民革命を支持していましたが、それが一国だけでなされたら、たちまち外国(絶対王政)の干渉と侵略を受けて崩壊してしまうと考え、それを避けるために「諸国家連邦」を構想したのです。実際、その後に起こった、フランス革命は一国革命であり、たちまち周囲の諸国から干渉を受けた。その時点でカントが書いたのが『永遠平和のために』です。しかし、ここでは、今述べたようなことが書かれていません。だから、カントの平和論が、本来、世界同時市民革命を目指すものだったということに、誰も思い及ばないでしょう。

カントの『永遠平和のために』は、帝国主義時代に再評価され、第一次大戦後に、国際連盟、そして、パリ不戦条約をもたらしたといえます。しかし、それは、第一次大戦がもたらした、もう一つの革命と無縁なままであった。そして、その革命は「一国革命」に終わり、他国からの干渉・妨害にさらされた。その結果、国家を揚棄するはずであったプロレタリア独裁が、この上ない国家主義と党独裁に転化してしまったのです。それに対して、新左翼は「世界同時革命」を唱えてきました。デリダ、ネグリ&ハートらがいうのも、その一種です。しかし、それは挫折するに決まっているのです。

国連の変革と「世界同時革命」

NAM解散のあと、私が考えるようになったのは、簡単にいうと、国連の問題です。もちろん、今あるような国連は、カントが構想した諸国家連邦（世界共和国）の理念からほど遠いのですが、だからといって、それを否定すべきではない。今後に「世界同時革命」がありうるとしたら、それは国連、といっても、カント的理念を実現するような国連を通してしかない、と私は思います。そして、よく見ると、国連は――国連システムと呼ばれていますが――、実に多数・多様なアソシエーションから成り立っています。むろん、その上に、第二次大戦の勝者・連合軍の諸国が常任理事国としてのさばっているのですが、それをとりのぞけば、まさに「アソシエーションのアソシエーション」なのです。国連の改革とは、それをカント的な意味で「世界共和国」とすることであり、マルクス的な意味で「世界同時革命」です。もちろん、このことは、各国での対抗運動によってのみもたらされます。逆にいうと、このとき、各国での対抗運動は、たんに空疎な「インターナショナル」の理念にもとづくものではなく、現実的なものとなります。

以上は、『世界共和国へ』（二〇〇六年）、そして、『世界史の構造』（二〇一〇年）、さらに『憲法の無意識』（二〇一六年）に書いたことです。それらはたんに理論的な書物なのではありません。そのとき私が考えていたのは、実践的=倫理的な問題です。すなわち、NAMをやっていたときに出会った問題を考えようとしたのです。
先に述べたように、NAMの運動は、資本主義の内と外でなされるだけでなく、国家の内と外、つまり、小さな地域と国家を超えた国際世界のレベルの両方を視野に入れなければならない。といっても、大事なのはアソシエーションの原理です。それは不変です。

インターネットは、アソシエーションを生み出さない

――NAMの問題として、インターネットに慣れていなかったことから生じたトラブルが多かったと思います。先ほども、互いに会ったことがないのに、当時まだ一般化していなかったEメールのメーリング・リストでやりとりしたことを例にあげておられた。

確かに、それについては反省しました。たとえば、「NAM原理」のプログラム(6)に、次のような文がありました。

NAMは、現実の矛盾を止揚する現実的な運動であり、それは現実的な諸前提から生まれる。いいかえれば、それは、情報資本主義的段階への移行がもたらす社会的諸矛盾を、他方でそれがもたらした社会的諸能力によって超えることである。したがって、この運動には、歴史的な経験の吟味と同時に、未知のものへの創造的な挑戦が不可欠である。

これは別にまちがいではありません。ただ、その「解説」には、こう書いてある。《New Associationist Movementは、根本的にサイバースペースなしには不可能である》。これもまちがいではないのですが、重大な欠陥がある。というのは、アソシエーションは原理的に、人びとが直接に出会い共食する——これは人類学の用語で、一緒に食事をする、という意味です——というような感性的なスペースにもとづいているからです。インターネットは連絡手段として役立ちますが、それがアソシエーションを作り出すことは決してない、もし人が実際に出会うのでなければ。

よくSNS（Social Net-working system）によって、人びとのネットワークができるといわれていますが、これが生み出すのはアソシエーションではなく、その逆です。つまり、排外主義、ポピュリズム、怨恨・憎悪による連帯のスペースです。それは、交換Cがもたらす空間であり、また、交換Bが作り出す擬似的な共同体です。したがって、資本と国家を揚棄しようとするアソシエーションの運動にとって、障害となるものです。

デモこそがアセンブリ（議会）である

——NAMの限界として感じられたことは、ほかにありますか。

当時のNAMは、9・11から生じたイラク戦争に対して、組織として対応できなかった。反対デモに行ったメンバーはいたと思いますが。私自身、日本では大阪、さらに、半ばアメリカにいたので、デモに行く機会がなかった。アメリカでは行ったのですが。

――そのときから、デモのことを考えるようになったわけですね。

実は、私は一九六一年以来、デモに行ったことがなかった。ただ、アメリカでは、デモが多くあって、私自身もときどき参加していました。といっても、カフェに行くついでに気楽に参加するようなかんじでした。しかし、日本にはそんなデモがなかった。イラク戦争のときに、そのことを痛感しました。

その時期、アメリカはいうまでもなく、ヨーロッパ各地で大きなデモがあったのですが、日本ではイラク戦争に派兵するという画期的な事態があったにもかかわらず、沖縄は別として、反対デモが小さかった。それからデモについて考えるようになったのです。それは、デモをたんなる手段としてでなく、それ自体意味のあるものとして見るようになったということです。

これまでの左翼運動において、デモは手段でした。街頭で革命的な騒乱状態を起こすことを目標としていた。戦前からそうで、戦後もそれが繰り返されました。五〇年代には火炎瓶闘争があり、七〇年代にも、それが繰り返された。その結果、人びとはデモを恐れるようになった。デモは特別な人たちがやるものだ、という感じになった。しかし、ヨーロッパやアメリカでも、日本と同じような暴力的運動があったにもかかわらず、それ以後も、始終さまざまなデモをやっている。なぜ日本では、デモをしないのか。

そのとき、私は、かつて和辻哲郎や丸山眞男が指摘していた問題に気づきました。ヨーロッパでは、都市の市民社会は、さまざまなギルドが集まってできたものです。孤立した個人が集まったものではない。つまり、中世以来、都市は、アソシエーションのアソシエーションとして生まれたのです。日本でも、一六世紀の堺がそうでした。その伝統は、徳川時代の大坂に多少残ったが、江戸にはありません。したがって、明治以後の東京にもなかった。

日本には市民社会がない。それはアソシエーションの伝統がないということです。したがって、デモをやるのは、労働組合や学生組織だけだということになる。二〇〇二年以来、私はその問題を考えてきました。だから、二〇〇八年には、「なぜデモをしないのか」という講演を三カ所でやったのです（『思想的地震——柄谷行人講演集成 1995-2015』）。

ところが、二〇一一年福島の原発事故とともに、大きなデモが起こった。だから、私はそのとき、こういったのです。デモなどで社会が変わるか、という人たちがいる。しかし、デモで社会は確実に変わる。なぜなら、デモをすれば、日本は人がデモをする社会に変わるからだ、と。

英語でいうと、デモを表わす言い方はいろいろありますが、正式には assembly です。それは日本語で、集会と訳されています。日本の憲法には「集会、結社、及び言論、出版その他一切の表現の自由」（第二一条）とあるけど、「デモの自由」という表現がない。だから、たとえば、デモの自由を「表現の自由」から根拠づける論がありますが、単純な誤解です。デモは assembly であり、「集会の自由」が「デモの自由」を意味している。ちなみに、「結社の自由」とは「アソシエーションの自由」です。

ところが、議会も assembly です。だから、議会とデモは類縁的です。たとえば、ルソーが「権力は民衆のアセンブリを嫌う」と書いたとき、議会と集会・デモの区別がありません。歴史的には、絶対王政に対する assembly（集会・デモ）がだんだん強くなって assembly（議会）として認められたのであって、議会の起源はデモにあるのです。

その意味で、反原発の国会前デモ・集会では、二つのassemblyが直面したといえます。デモの側から国会に行くことはないけれど、国会の側からデモに挨拶に来た政治家がかなりいました。こちらのほうが、本当の議会です。一方、台湾のひまわり学生運動では、デモのほうが国会に行った。それによって、むしろ、デモこそがアセンブリ(議会)であるということを示したわけです。

また、私は、デモは社交だといったことがあります。実際、一人でデモに行くのは難しいし、億劫です。誰か知り合いと一緒に、ということになります。で、終わったら飲みに行く。ドイツ人の学生から聞いた話では、終わってから酒を飲みに行くのは普通ですが、問題は酒を飲んでからデモに来る連中が多いことだ(笑)、という。アソシエーションとは、いうならば、こういう「社交」です。

かつてデモがあったのは、労働組合があったからです。今はない。デモを行なうには、アソシエーションが必要です。大きなデモは、大きな組織や政党が作るものではない。大きなデモは、多くのアソシエーションが集まったときに成立する。つまり、それは「アソシエーションのアソシエーション」です。


——今後、新たな「NAMの原理」によって、何かを開始されるおつもりですか。

私が先頭に立ってやることはないでしょう。ただ、必要だと思うのは、最初にいったように、国家と資本への対抗運動について話し合う場を作ることですね。すなわち、各地・各界でアソシエーションを作り出そうとする人たちが集まる場を。それは「ＦＡ宣言」を唱えたときから考えていたことです。

（第Ⅰ部：二〇一四年九月～二〇一五年三月、聞き手：高瀬幸途）

〈II〉

さまざまなるアソシエーション

New Associationist Manifesto

1 協同組合とアソシエーション

1……社会主義と協同組合の関連について

――（聞き手：加藤好一）柄谷さんにはお忙しい中、私ども市民セクター生活機構が発行する『社会運動』リニューアルのスタートから四回にわたって「NAMを語る」をご寄稿いただき、改めて感謝申し上げます。今日は、連載を拝見して私が思いついた質問を順番にお尋ねしていきたいと思っております。

最初に、『社会運動』のリニューアルが始まった去年（二〇一四年）九月号の「重茂（おもえ）」特集で、私は柄谷さんの『遊動論』（文春新書）を引用させてもらい、小文を書きました。岩手県宮古市で津波の壊滅的被害を受けた重茂漁業協同組合が、急速な復興を成し遂げた理由をどこに求めたらいいのか？　私が思うに、柄谷さんがいわれている「遊動論」、とりわけ柳田国男が宮崎県椎葉村で発見した焼畑民の「社会主義」であるとか、協同組合的理念とかに重なっているのではないかという解釈を書いてみました。

重茂漁業協同組合の歴史的文書の中に「沖は入会」「国境無差別」という表現がありまして、これこそまさに漁民の遊動性であって、柳田国男が発見したものに通じるのではないかと考え、かなり乱暴な論を書き連ねたところ、案の定、私の周りの人たちから協同組合と社会主義をそんな勝手な言い方でつなげていいのかとか、さまざまいわれたわけです。いずれそれについては、自分としてきちんとお答えしましょうと返事をしたのですが、今日にいたるまでその責を果たしていません。そういう意味で、今日はせっかくの機会なので、とば口で結構ですから、そのあたりについて柄谷さんのご見解を伺いたいと思います。

柄谷さんの理論体系（交換様式論）の中では、プルードンとか、アソシエーションとか、無政府主義といったものが重なり合い、共鳴し合って展開されているということが、私にとっては非常に興味深い点でもあります。そのあたりもできれば併せてお話し下さるとありがたいです。


柳田国男は農商務省の官僚のときに協同組合の政策を考えていたのですが、明治三三（一九〇八）年に視察旅行に行ったのが宮崎県の椎葉村でした。そこは焼き畑農民の村です。イノシシの狩猟もします。この村の人たちのあり方は、根本的には土地の共同所有から来るものです。そのために、通常の農村ではまったく見られないような考え方・生き方があったので、柳田はこれを指して、「社会主義の理想の実行さるる椎葉村」という小見出しを付けて文章を書いたのです。この村は協同組合ではなかったし、また、柳田も協同組合に関して「社会主義」という言葉は使っていません。ただ、協同組合の源泉に社会主義的なものがあったことはまちがいない。

社会主義について考えていくと、むしろ柳田がそういう言葉を使った時期にさかのぼってみる必要があるのです。私は先日、朝日新聞の書評でウィリアム・モリスとE・B・バックスによる『社会主義――その成長と帰結』（晶文社）という本をとりあげました。この本はイギリスで、柳田が椎葉村に行った次の年に出版されたのです。ちょうど日清戦争の前年にあたる。モリスという人は、アーツ・アンド・クラフツ運動の指導者ということで知られています。また、柳宗悦の民芸運動に影響を与えた人ということで知られている。むしろ、今ではそれさえ忘れられて、壁紙とか室内装飾のほうで有名です。それ以外のことでは知られていない。しかし、明治時代では違います。何よりも、社会主義者として知られていたのです。そのころは、幸徳秋水から山川均にいたるまで、社会主義者にとって、ウィリアム・モリスの本が基本的文献だった。そして、彼の社会主義はマルクス主義的でした。実際、マルクスの娘（三女のエリノア・マルクス）と一緒に「社会主義同盟」をやっていたから、エンゲルスよりもマルクスに近い所にいたのです（笑）。

柳田国男が大学で研究したのは、イギリスの協同組合です。明治政府の協同組合論はドイツのものですから、柳田は農商務省に入ったときから、それに対立していました。ちなみに、モリスらの社会主義は、イギリスの協同組合運動とつながるものでした。だから、その意味で、柳田と縁があるわけです。しかし、ロシア革命（一九一七年）以降、マルクス＝レーニン主義が正統とされ、社会主義という言葉も共産主義という言葉も、ロシア革命以後の現実によって、意味が変わってしまった。

そうなると、その言葉によって、人が何を意味しているのかわからない。あなたが質問されて答えられないのは当たり前だと思います。だから、むしろ、それをいった人に聞かないといけない。「あなたがいう社会主義とはどういうものかを定義してください」と。もしそうしてくれれば、「ああ、それなら、私が考える社会主義ではないですね」といえるけれども。そもそも、何かわからない事柄に反論はできません。

――それを聞いてほっとしました。

先ほどいったように、社会主義はもともと協同組合と深く関連していました。今でも、北欧の社会民主主義では、協同組合が大きな役割を果たしています。しかし、現在では、社会主義というと、人は、旧ソ連や中国、北朝鮮のことを考えるでしょう。あれは社会主義ではない、と私は思う。しかし、社会主義は本当はこういうものだと説明しても、手間がかかるし、無駄でしょう。それぐらいなら、別の言葉を使ったほうがいい。だから、私はアソシエーショニズムという言葉を使ったのです。

たとえば、『世界共和国へ』（岩波新書、二〇〇五年）で、それを自由‐統制という軸、平等‐不平等という軸からなるマトリックスで説明したことがある。この場合、平等というのは経済的平等のことで、権利の平等（選挙権をもつとか）のことではありません。（『世界共和国』五頁）。この本でも示したように、私は社会主義を、交換様式の観点から説明しています。そして、それは交換様式Dである、と書いている。これは一口ではいえないので、図で示すほかありません。交換様式には四つのタイプがあります。

先ず、交換様式A（互酬交換）、B（服従と保護）、C（商品交換）の三つを見ます。この中では、交換様式Cというのが一番わかりやすい。資本主義社会に生きている者にとっては。それに比べると、交換様式Aは少し意外に感じられる。贈与は交換とは見えないから。しかし、贈与とお返しは一種の交換です。そして、これは普通に行なわれていることです。お中元を贈りそのお返しをするとか、親が子供の面倒を見て成人した子が親孝行をする、というようなことも、交換です。ただし、これは交換様式Aです。また、神社で賽銭を投げこむことも同様です。神様に贈与してお返しを迫るわけですから。

次に交換様式Bは、もっと意外に見えます。とても交換とは見えないから。しかし、たとえば、暴力団でも、たんに暴力で略奪するだけではない。ミカジメ料を払えば、他の暴力団などから守ってくれるわけです。だから、それが交換になっている。国家もそれと同じです。国家は暴力に依拠するのですが、暴力だけでは長続きしない。支配される側が自発的にそれを支持するのでないと。そのとき、暴力とは異なる「権力」が成立します。しかし、そのためには、支配者は被支配者を保護しないといけない。収奪した分を再分配するとか、公共事業をするとか。つまり、そのような「交換」、つまりBがないなら、国家は成り立たない。

どんな社会構成体もA・B・Cという三つの交換様式が接合したものとしてあります。それはボロメオの環のようなもので、どれかが欠けると成り立たない。たとえば、古代の氏族社会ではAが支配的なのですが、目立たないながら、BやCもあります。つまり、戦争をし、また、交易をする。国家が成立する段階では、交換様式Bが支配的になります。そのとき、Cも発展しますが、まだ国家に抑えられている。Aは、国家の下でも農耕共同体として存続しますが、もはや氏族社会のようなものではない。近代社会になると、交換様式Cが支配的になるのですが、BもAも残ります、ただ、その形態が変わってくる。そして、資本＝ネーション＝国家となるわけです。

ところで、交換様式として、この三つの他に、もう一つDがあります。Dは、ある意味で、Aの高次元の回復です。それは、歴史的には、交換様式BとCが十分に発展した段階、つまり、古代の世界帝国の時代にあらわれました。それは先ず、普遍宗教としてあらわれた。が、それはたんなる宗教ではなく、同時に社会運動でした。産業資本主義が発展した一九世紀後半では、それは非宗教的なものになりますが、本質的には同じです。つまり、Dです。

Dは、BやCを超克するものであり、また、Aを高次元で取り戻すものです。Dは資本主義（C）でないだけでなく、国家主義（B）でもナショナリズム（A）でもありません。もしそれを社会主義と呼びたいなら、そうしてもよい。しかし、社会主義という言葉だけでは、それがどんなものなのかわからない。現状では、それは大概、国家資本主義か、資本主義的福祉国家のようなものになってしまうでしょう。その場合、Dでなくて、BやCが支配的なのです。

宗教に関しても同様のことがいえます。Dは普遍宗教としてあらわれたといいましたが、実在する宗教の多くはむしろAであり、さらにBであり、しばしばCでもあります。本来、普遍宗教はDとして、A・B・Cを乗り越えるべくあらわれたのですが、まもなく国家の宗教となったり、金儲けの手段になったりする。だから、宗教を批判するにせよ擁護するにせよ、それが交換様式から見てどのようにあるかを見ないとわかりません。

私が交換様式の観点から社会の歴史を考えるもう一つの理由は、近代以前の社会、生産力から見れば未発達の社会にあったものを評価するだけでなく、それをあらためて活かすことができると考えるからです。先ほどいったように、柳田国男は、宮崎県の椎葉村の焼畑農民の社会に感銘を受けた。そこに、いわば互酬交換Aが活きていたからです。彼はそこに「社会主義」を見た。とはいえ、それは、椎葉村をそのまま真似することはできないし、意味がない。柳田は、そこにある原理を、協同組合として回復することができるのではないかと考えたのです。

加藤さんは最初に、岩手県宮古市の重茂漁業協同組合に関して、私が柳田について書いたことを想起したといわれた。私も実は、『社会運動』でその記事を読んで驚きました。私はこう思った。漁業民の社会は、焼畑農民の社会と同様に、遊動民社会の相互扶助的な伝統をとどめているのではないか、と。だから、新自由主義、つまり、交換様式Cが徹底的に浸透した現在の社会にあっても、Aすなわち相互扶助的な活動を自然に回復させているのではないか。協同組合は近代資本主義の中で生まれたものですが、ある意味で、そういう言葉がない時代からあったものを回復したものです。したがって、それはAというよりも、BやCを超えるDを志向するものだといえます。

――柄谷さんが『遊動論』で言及なさったS・スマイルズ(一八一二〜一九〇四)の『自助論』ですが、新自由主義者は自己責任論のルーツとして推薦しているが、本来は、スマイルズは労働運動や協同組合運動の支持者であって、「自助」と「相互扶助」は切り離せないもので、柳田の言葉でいえば「協同自助」に通じると書かれていて、あの指摘には大変感銘を受けました。

宮崎学も指摘したことですが、スマイルズの「自助」というと、現在は、「自己責任」のような新自由主義のイデオロギーになっていますが、そうではなかった。先ほどいいましたが、ドイツの協同組合が「国家主義」的であったのに対して、イギリスのそれは「社会主義」的であった。つまり、社会主義とは、国家によらずに「協同自助」でやることです。スマイルズがいう「自助」はそういうものです。

ところで、私は柳田が偉いなと思った理由の一つは、たんに彼がイギリスの協同組合について研究したことだけではなく、卒業論文として「三倉沿革」を書いたことです。これは南宋の学者、朱子にもとづく考察です。官僚だった朱子は、飢饉に対する対策として「倉」を考えた。倉とは、飢饉などのとき農民を救済するため平常から穀物を貯蔵しておくものです。倉には三種類あります。義倉、社倉、常平倉です。

その中で、柳田が注目したのは社倉です。義倉や常平倉が国家による福祉政策であるのに対して、社倉は自治的な相互扶助の形態です。それはいわば「社会主義」的です。柳田は西欧の協同組合論を研究した上で、朱子のいう「社倉」を再評価したわけです。また、彼は近代以前の農村に、協同組合の先駆的な諸形態を見いだした。たとえば、協働組織としてのユイとか、信用組織としての頼母子講とか。

柳田は父親が平田派の神官で、元来国学系の人ですから、徳川幕府のイデオロギーであった朱子学を好んだはずはありません。彼が評価した朱子は、まだ官僚で、思弁的でなく実践的だった時期の朱子なのです。日本には、この意味で、柳田の農政学を受けついでいる学者はいません。ただ、本人がそう思っていないにもかかわらず、柳田と似たことをやっている学者がいます。宇沢弘文（一九二八～二〇一四）です。

私は宇沢弘文についてのエッセイ（『現代思想』二〇一五年三月臨時増刊号）を書いているので、それを参照してもらえばいいのですが、彼は「社会的共通資本」ということをいった人です。それはコモンズ（Commons）を翻訳した概念なのですが、彼はその訳語として最もふさわしいのは、「社」だと書いています（『社会的共通資本』岩波新書）。実は、「社」は朱子にもとづく概念です。その意味で、宇沢はそうと知らずに柳田の農政学を受け継いだのです。

スマイルズの『自助論』（講談社学術文庫）についてもう一度いいますが、現在は、自助というと、失業は自己責任だ、社会福祉など不要だという新自由主義的な考えに導かれる。しかし、イギリスの自由主義は、新自由主義とまったく違うものです。たとえば、自由主義の祖とされるアダム・スミス（一七二三〜九〇）は終始倫理学者でした。彼の課題は、各自のエゴイズムを肯定するだけでなく、同時にそれによってもたらされる弊害を解決することにあったわけです。そこで彼はsympathyという概念を強調した。これは日本語では「同情」と訳されていますが、むしろ「共感」といったほうがいいでしょうね。それは、それまであった宗教的憐憫とか慈悲とは異質なものです。アダム・スミスは先ずエゴイズムを認める。利益の追求を認めるわけです。しかし、同時に、彼はそれが必ず不平等・格差をもたらすことを知っていた。それを解決する方法として「同情」ということをいったのです。それはいいかえれば、相互扶助です。慈悲や憐憫とは違います。

スマイルズが「自助」を唱えたときも、スミスと同じようなことを考えていたはずです。自助とは、エゴイズムを承認するとともに、相互扶助を促すものです。だから、今日、エゴイズムを肯定し追求するだけの新自由主義者が、スマイルズの「自助」を推奨しているのは、滑稽かつ醜悪です。

——それを読ませてもらったときにすごく新鮮でした。スミスもそうですよね。スミスの場合、フランスの重農主義者のF・ケネー（一六九四〜一七七四）に会いに行って、ケネーの「レッセフェール」を経済思想の根幹に置きました。そのケネーは中国思想に詳しい人のようですね。

「レッセフェール」というのは老子の「無為」の翻訳なんですよ。これを最初に訳した人は、イエズス会の宣教師、マテオ・リッチ（一五五二〜一六一〇）です。ところで、リッチの書いた本（漢語）を読んで翻訳し、また、大いに活用したのが、国学者平田篤胤（一七七六〜一八四三）です。篤胤は一神教と三位一体の考えを神道に取り入れた。柳田の父親は、中年から平田派神道の神官になった人です。たぶん、柳田もその影響を受けているはずです。その柳田がイギリスの協同組合を研究した。このように、さまざまな縁が絡みあっているんですね。

2……国家（略取＝再分配）認識の刷新

――これは私の個人的経験に発する質問になるのですが、大学時代に実は宇野経済学をかじりまして、結果、よくわからなかったのです。原理論、段階論、現状分析という三段階論も、それ自体はわかりやすい構成なのですが、なぜ段階論なのか、原理論を踏まえて現状分析していればいいのではないのか、そのように安直に考えていたところがありました。柄谷さんの『世界史の構造』もそうですし、今回の連載でも触れておられますが、宇野経済学の段階論は国家の再導入の試みであるといっておられる。これまた目から鱗というか、新鮮だったというか、生意気ですが、そんなふうに思ったわけです。柄谷さんのお考えの中でその認識はいつごろからあったのでしょうか。

歴史的な段階というのは、普通のマルクス主義者でもいうことです。つまり、それは史的唯物論の観点です。しかし、宇野弘蔵（一八九七〜一九七七）がいう「段階論」は、それとは違います。それは近代資本主義に関して、国家（イギリス）の経済政策によって区別される歴史的段階です。

簡単に説明すると、史的唯物論は「生産様式」から、つまり、誰が生産手段を所有するかという観点から、社会構成体の歴史的段階を見るものです。先ず原始的な共産主義があり、それが階級社会に転化する。資本制生産の段階では、生産手段をもつ資本家とそれをもたないプロレタリアという階級関係があり、階級闘争があるということになる。しかし、それだけでは、信用をふくむ資本制経済の体系を理解することなどできません。それに関して、マルクスは『資本論』で、史的唯物論とは異なる見方をしたのです。彼は商品交換から始めて、貨幣、資本、そして信用体系にいたる資本主義システムの全体を解明しようとした。つまり、私の言い方でいえば、『資本論』は交換様式Cから、資本主義の体系を説明する著作でした。

その際、マルクスは国家（B）をカッコに入れて、純粋に資本制経済のメカニズムをとらえようとしました。そのことは、先行者リカードの主著の題を見ればわかります。『経済学および課税の原理』です。それに対して、マルクスは、課税、つまり、国家をカッコに入れたのです。そこで、宇野弘蔵は『資本論』をそのように資本制経済の原理を純粋に解明する著作として読んだ。つまり、イギリスの経済を通して、「純粋資本主義」の原理を見ようとしたわけです。しかし、その一方で、彼は国家がとる経済政策によって、資本主義の歴史的段階を区別しようとしました。具体的にいえば、イギリスは重商主義的、自由主義的、帝国主義的と呼ぶべき経済政策をとってきた。宇野は、それが資本主義の歴史的段階だというのです。

私は東京大学の経済学部で大多数の教授が宇野派であった時代に学びました。しかし、実は、宇野のこのような考えは、その内部で批判されていました。それは、鈴木鴻一郎や岩田弘による批判です。資本主義は、本来、一国だけで考えられるものではない、ゆえに「世界資本主義」という観点が必要だ、という。私はその通りだと思いましたが、それをどう考えたらいいのかわからなかった。ただ、このことがずっと気になっていました。この問題をあらためて考えるようになったのは、「交換様式」という着想を得た時期からですね。つまり、二〇世紀末になってからです。

――そこで、I・ウォーラーステイン（一九三〇〜二〇一九）の「世界システム論」に言及されるようになったわけですね。

そうです。ウォーラーステインは歴史家であって、資本についても、国家についても考察が甘いのですが、最大の功績は、国家と資本を同時的に、双頭の主体としてとらえたことです。その点で、異なる交換様式（BとC）の接合体を考えようとしたとき、参考になりました。

そこからふりかえると、宇野が経済政策による段階を考えたとき、「純粋経済学」に国家を導入しようとしたのだということがわかります。ただ、彼は一国だけしか考えなかった。資本主義は、一国だけではなく多数の国家が関係すること、つまり、世界資本主義としてあるということを見なかった。たとえば、彼のいう経済政策が歴史的「段階」を分かつのは、それがイギリスというヘゲモニー国家の経済政策だからです。自由主義段階とはヘゲモニー国家が存在する状態です。そして、イギリスはヘゲモンだからこそ自由主義政策をとりえた。その他の国は保護主義的です。たとえば、その当時の日本は、究極の保護主義、つまり、鎖国政策をとっていました。

次に、帝国主義段階とは、イギリスが没落してヘゲモニー国家がなくなり、次の座をめぐって諸国家＝資本が争うような状態です。先ずオランダがヘゲモニーをもったとき自由主義的でしたが、それが壊れて、イギリスとの抗争が始まった。それは重商主義的な時代です。イギリスが勝利して、一九世紀には自由主義的となった。一九世紀末、イギリスのヘゲモニーが壊れた段階で、帝国主義的な段階になります。第一次大戦、第二次大戦を経て、アメリカがヘゲモニーを確立した状態が自由主義的な段階です。それが壊れ始めたのは、一九八〇年代です。そのころから、「新自由主義」という概念が唱えられるようになりましたが、それはむしろ新帝国主義と呼ぶべきものです。私はそのことを『世界史の構造』（二〇一〇年）に書きましたが、近年において、そのことがいよいよ明白になってきています。

3……地域通貨と中間勢力について

――次に、NAMは運動を重視するものであるというのは柄谷さんが一貫して強調されてきたことです。二〇〇〇年に刊行された『NAM原理』（本書の付録に収録、二二七頁）もそうですし、今回の連載でも同様です。その具体的な取り組みの一つとして当初から地域通貨の問題提起がありました。これは編著の『可能なるコミュニズム』（二〇〇〇年）を含めて柄谷さんが一貫して議論されてきたと私は受け止めています。わが生活クラブも一九八〇年代の後半ぐらいから、日本でいうと丸山真人（まこと）さんから学んだり、カナダでのLETS（local exchange trading system, 地域交換取引制度）実践を調査したり、地域通貨は面白いんじゃないかという感じでいたのですが、健闘しているところはあるものの、実をいうとあまりうまくいっていない。そこで、せっかくの機会なので、柄谷さんの地域通貨へのお考えを伺いたいのですが。

NAMでは、地域通貨を実行できませんでした。電子マネーのようなソフトを開発しようとする人たちはいたのですが、私が望んでいたのは、地域に根ざす通貨です。LETSを考えたマイケル・リントンも、そのような電子マネー化には反対でした。地域でやるには、むしろ紙幣がよい、というのです。

リントンの思想はプルードンにもとづいています。それは、交換様式A、つまり、互酬をベースにした市場経済を作ることです。市場経済といっても、それはAでも可能なのです。通常、互酬は一対一の関係になります。たとえば、親から受けた恩（贈与）を、子供は親に返す。しかし、親がいなくなっても、お返しはできます。誰か別の人に返せばよいのだから。そのようにして、それまで互いに知らなかった人との間に、互酬交換の環を広げる。リントンはこのことを、地域通貨を通してやろうとしたのです。

たとえば、高齢化社会が進み、多くの人が老年になったとき、家族内で年寄りの介護をできない場合にどうするのか。このような問題に対して、普通は国家の福祉制度に頼るということになります。国家に頼らず、しかも、家族なり共同体がないときはどうすればいいか。自分が若いときに、誰か年寄りの世話をして労働証書のような「貨幣」を得て、それを持っておく。自分が年を取ったとき、自分のために世話をしてくれる人にその貨幣を払う。たとえば、そういう地域通貨が可能です。

――今のお話のようなことは、神奈川の福祉クラブ生協の一部で、一種の労働証書制のようなシステムで試みられています。

その場合、理論的には簡単なのですが、難しいのはむしろ、実際に地域の人間関係を創り出すことですね。それは、村や町の地域的な現場で生きていないとできないと思います。結局、地域通貨は、実際に地域的なベースがないとだめですね。たとえば、消費協同組合の内部で地域通貨を始め、それを信用にして、別のところがそれを使うというふうにして、徐々に広がることが望ましい。電子的通貨を作って広域的な規模でドーンと始めるなんてことは、意味がありません。

もう一つ大事なのは、これは国家に関わる問題だということです。要するに法律の問題がある。あまり地域通貨のことを大っぴらにいったり、事業的に成功すると財務省が飛んでくる。彼らは地域通貨を脱税だと思っているからですが、実際、そうなのです（笑）。所有権が移動すると、必ず国家が課税してきますが、地域通貨ではそれができない。だから、地域通貨はその本性からして国家と敵対することになる。だから、地域通貨を成功させるためには、法を改正しないといけない。これは国家の援助を仰ぐためではなく、むしろ国家に邪魔をされないようにするためのものです。その点では、協同組合も同じです。生活クラブ生協というのは、私が前に聞いた話では、最初は協同組合と名乗れなかったそうですね。

――最初はそうでした。

法律上の規定がうるさい。私も二〇〇一年に浅田彰と一緒に批評空間社を始めようとしたとき、それを協同組合としてやるつもりだったのに、断念したのです。浅田彰はそのころ、京大の先生でしたから、協同組合をやるには、大学を辞めないといけないといわれた。

――浅田さんが公務員だからですか。

公務員だからではなくて、専任職だからです。私も同じですよ。仕方がないので、株式会社にしました。ただ、通常の株式会社とは違ったと思います。当時、たまたま、新しい法律ができていたのです。NAMにいた柳原敏夫さんという弁護士が批評空間社設立に際して法律面で支えてくれていたのですが、彼がその新しい法律のことを詳しくききたいと思って内藤君と一緒に官庁に行ったら、役人が大歓迎で協力してくれたという。その法律を最初に使ったのが、われわれであったからです。それはともかく、協同組合をもっと簡単に作れればいいのに、今の協同組合の法律ではできない。それをどうするかは大事なことだと思います。

韓国では、五人いれば協同組合をたやすく作れる法律（協同組合基本法、二〇一三年施行）を作ったんですね。だから、協同組合が雨後の筍のようにどんどん増えた。私の読者であるロックグループが協同組合を作ったという話も聞きました。パンサム海賊団というのですが、そのメンバーの一人が兵役中に軍隊で『トランスクリティーク』を読んだらしい。それで協同組合がいいと思って、ロックグループを協同組合にしたという。彼らのことをネットで調べたら、日本に来て高円寺の松本哉（素人の乱）のところで公演しているのです。松本さんは私の友人ですから、世間は狭いと思った。韓国では協同組合基本法を作ったために、協同組合がいっぺんに普及したのですが、そのような法を作ったのは、左翼じゃなくて、その逆のようです。政府は国民の面倒をみたくないから、勝手に「自助」でやらせておけ、ということなのだと思います。

――私たちもそのように聞いています。

それなら、日本だって、安倍首相が率先して、協同組合基本法を作ればいい。福祉政策などやるつもりがないのだから、せめて人びとの「協同自助」を認可すべきでしょう。

――協同組合と法律ということでは、全中（全国農協中央会）の解体、つまり法律的に農協法を改正してＪＡグループの機能を分断していくという流れがあからさまになっています。ＪＡグループも襟を正すべき部分はあると思っていますが、そんなことは国からいわれる話ではない。さらにいうと、規制改革会議とか、わけのわからない民間・財界の委員からそんな戯言をいわれる筋合いはないと思います。

私は以前に、中間勢力について詳しく論じたことがあります（『政治と思想』平凡社ライブラリー）。そのときはとくに言及しませんでしたが、農協も中間勢力だと思います。中間勢力というのは、もともとモンテスキュー（一六八九～一七五五）が貴族とカトリック教会のことをそう呼んだのです。それはべつに彼らを支持していたからではない。むしろ、反対でした。彼らは反動的な存在であったから。しかし、彼らは絶対王政に抵抗したので、結果的に、王政が専制的になるのを防いでいた。モンテスキューは、そのような意味で彼らを評価し、中間勢力と呼んだのです。

現代でも、中間勢力というべきものには、似たような意味合いがあると思います。つまり、それらには、決して手放しで支持できないような、むしろ批判されるべき要素が大いにある、ということです。だから、こういう中間勢力を擁護するのは、一八世紀フランスで貴族や教会を擁護するのと似ています。

たとえば、中間勢力の一つとして、かつての国鉄労組をあげることができます。一九六〇年の安保闘争で二度、国労はゼネストをやっているのですが、今から思えば、これはすごいことです。八〇年代の中曽根首相はこのような国労を潰したかったのです。国鉄の民営化は、それが目的だった。爾来、日本の労働組合全体が弱体化しました。それに支えられてきた社会党は、一九九〇年代には消滅してしまった。

その他に、創価学会、日教組、部落解放同盟、朝鮮総連などが代表的な中間勢力でしたが、一九九〇年代にこぞって弱体化されました。それらはメディアから猛烈な批判を浴びた。その場合、このような勢力を擁護するのは難しいのです。たとえば、部落解放同盟の場合でも弁護しがたい面がありました。実際のところ、彼らはひどいことをやっていましたから。

——部落解放同盟の場合、同和利権問題が何度も摘発されました。

差別語狩りとか糾弾闘争のこともありました。実際、弁護しがたいところがあったのですが、批判する側はそこの部分だけを突っ込んでくる。結果として、解放同盟は弱体化され、同時に、日本における反差別の運動が一般に弱体化してしまった。もし解放同盟が健在であったなら、ヘイト・スピーチなんて絶対に起こらなかったはずです。

農協についても同じことがいえます。これも別に、手放しで称賛できるような集団ではない。しかし、一定の圧力団体として、中間勢力であった。そのことは、むしろ農協法の改正によって、明らかになりました。農協がＴＰＰなどの新自由主義に抵抗する勢力であったからこそ、政府はそれを潰そうとしたのです。農協を抑えたら、農業分野だけでなく、全般的に、新自由主義の徹底化に帰結するだろうと思います。

――中間勢力の衰退は、同時に今の政権が専制化しているということでもあるわけですね。

その通りです。

4……神の国について

――次に「神の国」論についての質問です。柄谷さんは『世界史の構造』（岩波書店）をはじめ、いろいろなところでアウグスティヌス（三五四～四三〇）の『神の国』（四二六年）について言及なさっています。中でも私が印象深く感じているのは、『帝国の構造』（青土社）の中の一節です。実はこの箇所を引用して、賀川豊彦記念松沢資料館の機関誌『雲の柱』に小論を書きました。

『帝国の構造』からの引用は次の通りです。

地の国が「自己愛」に立脚する社会であるのに対して、神の国は「神への愛」ないし隣人愛によって成立する社会です。そして、この二つの「国」は重なり混じりあいながら、存在する。神の国は地の国に従属することもなければ、依存することもない。それはポリス（地の国）のような限界や境界をもたない。コスモポリスです。現実に諸国家が存在する一方で、神の国は、それらと重なりあいながら存在し、それらに徐々に浸透していく。

この「神の国」論は、われわれ協同組合人が長年課題としてきた「協同組合セクター（市民セクター）論」と共鳴し、重なるように思います。『協同組合セクター論』は、一九三五年にジョルジュ・フォーケ（一八七三〜一九五三）が著したものですが、私たちにとっては、一九八〇年のA・レイドロー（一九〇七〜八〇）の「西暦二〇〇〇年における協同組合」（国際協同組合同盟＝ICAの二七回モスクワ大会における基調報告）のほうにより影響を受けています。柄谷さんの神の国論とレイドローの問題提起を受け、私は小論で次のように書きました。

レイドローは「協同組合共和国」（賀川豊彦〔一八八八〜一九六〇〕は「協同組合国家」を強調した）という、世界の協同組合人にあった長年の夢に対して「協同組合地域社会」という対案を対置した。同時に私的セクター（株式会社、とりわけ今日において肥大化している多国籍企業）、かつ公的（政治）セクターと並んで、「協同組合（市民）セクター」を提起した。その思想的前提は、「混合経済」という時代・戦術認識に基づき、以後予想される新自由主義の暴走のようなものを制御して、少しでも人びとが暮らしやすい社会や経済の仕組みにしていくことを提唱した。

長くなって恐縮ですが、こんな思いと実践をますます強めたいと思っています。柄谷さんの「神の国」論は、カントを踏まえた「統整的理念」の考案と併わせ、私たちにとって今後の希望です。この点をさらに補足してもらえればと思います。

加藤さんの理解でいいと思います。キリスト教の中では、神の国について意見が分かれています。たとえば、神の国はこの世の外にあると考える人たちもいるし、また、神の国は「終末」においてあらわれると考える人もいる。しかし、アウグスティヌスの場合、この世にある神の国をみようとしたといえます。

彼はローマ帝国がゴート族に征服されて滅んだ時期にアフリカで活動していた人です。そのとき、ローマ帝国の異教（土着宗教）派から、ローマが滅んだのはキリスト教のせいだといって非難された。アウグスティヌスが『神の国』を書いたのは、そのころです。そのとき彼は、それはローマ帝国そのものに原因があるのだと反論しました。

彼が批判した相手は、異教派だけではありません。彼はまた、司教アンブローシウスのようにキリスト教をローマ帝国の国教と見なすような考えも批判しました。そもそも「戦争によってのみ獲得した広大な領域における帝国支配」に正義があるのか、と彼は問います。そして、こう述べた。《正義がなくなるとき、王国は大きな盗賊団以外のなにであろうか》（『神の国』服部英二郎訳、岩波文庫、二七三頁）。だから、この帝国は滅びるのだ、というわけです。

アウグスティヌスのいう「神の国」は、国家（地の国）と異なるものですが、それは地の国と同じ空間にあります。つまり、それは、地の国と同時に混ざり合ってある。にもかかわらず、神の国が地の国と交わることはない。その原理が違うからです。私がこのことを興味深く思ったのは、宗教的観点からではありません。社会運動の観点からです。「地の国」が資本主義的な市場経済だとすると、「神の国」は、どこか彼岸にあるものというより、むしろそれと混ざり合いながら存在する非資本主義的な市場経済だと考えればよい。そして、後者は現実に作れます。その意味では、神の国はすでに到来しているわけです。

たとえば、私は自宅近くのデポー（ワーカーズ・コレクティブが運営する生活クラブ生協の小規模店舗）に毎日のように行きますが、いわばそれは神の国です。その隣にコンビニがあって、そこにも行く。つまり、地の国にも行く（笑）。デポーだけでは足りないからです。今のところ、この「神の国」は相対的に無力ですが、それが存在することは確かです。たとえそれが全面化するのが遠い将来だとしても、すでにそれがあるということが大事だと思います。

ただ、私がアウグスティヌスを読んだとき、そういうことを考えたのは、もともと、二つのタイプの運動を考えていたからですね。先の連載インタビューでも述べたように、私は資本＝国家に対抗する運動として、内在的闘争と超出的闘争を区別しました。内在的というのは、資本主義国家の内部で闘うことです。政党、労働組合、その他の対抗運動がそうです。それに対して私が超出的と名づけているのは、非資本主義的な経済圏を自分たちで作り出すものです。協同組合とか、地域通貨がそうです。

普通、内在的な闘争のほうだけが対抗運動だと思われています。そこでは、国家権力を握って資本を制御することが目標となります。私は内在的な闘争を否定しませんが、同時に、超出的な運動が必要だと考える。そうでないと、内在的な対抗運動は、結局、国家・資本の内部に飲み込まれてしまいます。その場合、もはやその外に出ることができない。

——賀川豊彦は「協同組合国家」ということをいうと同時に、戦前に神の国運動を全国で繰り広げていきます。

彼が「神の国」をいい始めたのは、社会運動が停滞した時点ではないでしょうか。

——賀川豊彦はこの社会を協同組合国家にしようと考えていて、それが彼の神の国だったのでしょう。賀川は多面的な活動家で労働組合運動や農民組合運動、共同購入組合から共済組合まで実にいろいろやった人ですが、基本的にはマルクス主義者に追いやられるような格好になりました。最後に彼が力を入れたのはよくも悪くもキリスト教会活動だったのだと思います。

また、賀川豊彦は、神の国運動に失敗するというか、戦争が本格化した最終局面ではキリスト教徒の開拓者村を満州につくることになります。国策に協力してキリスト者の勢力を保持するというところに追いつめられていくわけです。

社会運動は歴史的には、キリスト教であれ、仏教であれ、イスラム教であれ、宗教的な背景をもってあらわれたのですが、近代では、その要素はあまり前面には出てこない。宗教が前景化するのは、現実的な社会運動が追いつめられたときですね。さらに、現実的な社会運動の理念がなくなったときです。近年では、それが一九九〇年ごろに起こったと思います。ソ連邦の崩壊、「第三世界」の分解などによって、それまでの社会運動が成り立たなくなったからです。代わりに出てきたのが宗教的運動です。

そのことが最も顕著なのは、イスラム教圏ですね。もともと、そこでは、社会運動は非宗教的なものでした。それがうまく行かなくなった時点で、イスラム教が革命運動を担うようになったと思います。たとえば、イランでは一九七〇年代末に宗教的な革命がありましたが、同じ理由からです。

イランには一九世紀末からマルクス主義的な左翼運動がありました。しかし、それが停滞するようになった。そこで、一九七〇年代にシャリアーティという理論家は、マルクス主義のイスラム化、イスラム教のマルクス主義化を考えようとした。何しろ大衆の大多数がイスラム教を支持しているのだから、それに敵対したのではやっていけない。だから、イスラム教というかたちをとりながら、マルクス主義的な運動を作ろうとしたわけです。確かに、それは成功したように見えるけれども、その結果、マルクス主義的な運動は消えてしまい、宗教の名の下で専制的な国家体制が支配的となった。

同じようなことが、戦前の日本でも起こったといえます。たとえば、転向を強いられた共産党幹部が「天皇の下での共産主義」を唱えた。彼らは擬装転向のつもりだったのでしょうが、実際に大多数の者が一斉に転向した。その結果、天皇制ファシズムが生まれた、といえます。

あらためていうと、交換様式Dは、歴史的に普遍宗教というかたちで出てきたし、現在においても、普遍宗教という形をとって回復されることが多いのですが、その場合、注意しなければならない。しばしば、それを通して、国家（B）やネーション（A）が回復されるからです。宗教性を前面に出すことが、逆に、もともとそこにあったDの要素を消してしまうことになりかねない。だから、宗教性を前面に出すことには注意が必要だと思います。

5……超自我・非戦の決意について

――柄谷さんには、今回の『社会運動』インタビューで、NAMに関して、重要な論点を補足していただきました。流通過程の重視のさらなる強調、それと関連する消費者とは何者かという問い、交換様式Dにおける倫理性の問題、NAMが「南無（任せる、帰依）」でもあるなど、示唆に富むものです。

しかし、今回の連載で、NAMについて柄谷さんが語られたことで、最も胸に響いたのは、「社会運動と平和運動」こそが「NAMの運動の基本」だとおっしゃられたことでした。このことと絡めて、私は柄谷さんが強調されている「中間勢力」論を重視しています。人びとが個人として国家に対して裸にされてしまうことこそ、戦争への道でしょう。昨今の政治情勢もあり、是非この点について、柄谷さんのお考えを伺いたいと思います。新自由主義について柄谷さんは今回の連載でもお話しになっていると思うのですけれども、要するに現在が帝国主義段階だという認識だと理解しています。そうだとすると、それは非戦などの平和運動などの部分とどう絡んでくるのでしょうか。

連載でも述べたことですが、大切なところなので繰り返します。私は、帝国主義とか自由主義という概念を、通常とは違った意味で、つまり、歴史学者ウォーラーステインがいう意味で用いています。彼の考えでは、自由主義とはヘゲモニー国家がとる政策です。そして、帝国主義とは、ヘゲモニー国家が衰退して、多数の国が次のヘゲモニーの座をめぐって争う状態です。さらに、近代の世界経済の中で、そのようなヘゲモニー国家は三つしかなかった。オランダ、イギリス、そして、アメリカ（合衆国）です。したがって、自由主義的な段階と帝国主義的な段階は交互にあらわれる。私の見るところ、それは大体一二〇年周期です。

もう少し詳しくいいますと、ヘゲモニー国家は、先ず製造業で覇権をもち、それから、商業、金融へと進みます。三つとも制覇したときに、名実ともにヘゲモンとなるわけです。そうなると、自由主義的な政策をとる。圧倒的に強いので、他の国が保護主義的であっても関知しないのです。しかし、その状態はそう長くは続かない。まず製造業で没落する。が、商業や金融では、依然として強い。オランダも、その後のイギリスもそのような過程をたどりました。たとえば、イギリスはヘゲモニー国家として君臨したのですが、一九世紀末には、新興のドイツとアメリカに製造業で敗れて、商業と金融に向かった。しかし、そのような状態は、ヘゲモニー国家としては没落にいたる過程なのです。

次に、イギリスに対して、ドイツおよびアメリカが次のヘゲモニーの座をめぐって争った。それが「帝国主義的」な段階です。それが第一次世界大戦に帰結し、その結果、アメリカがヘゲモニー国家となった。その時代がいわば、「自由主義的」な段階です。

その後のアメリカがたどったのは、かつてのオランダやイギリスと同じコースです。そして、アメリカは二〇世紀末に、ドイツと日本に製造業で敗れたので、もっぱら商業と金融に向かった。だから、これは別に新しい現象ではありませんし、アメリカが商業と金融においてまだ圧倒的に強いとしても、ヘゲモニー国家として没落過程にあることは明白です。すでに、次のヘゲモニーをめぐる争いが始まっています。その場合、主役はヨーロッパではないし、日本でもない。中国かインドでしょう。その意味で、現在は帝国主義的な段階であり、また、世界戦争が迫ってきたと私は思います。

——新自由主義は、「帝国主義的」な段階にあって資本＝国家がとる政策であるから、むしろ新帝国主義と呼んだほうがいいといわれるわけですね。

そうです。現在は、どこの国でも、新自由主義といわれる政策がなされている。それに対しては、さまざま批判があります。たとえば、ピケティの『21世紀の資本』のような本があります。そこから出てくるのは、現在の貧富の格差を解消するには、累進課税の政策をとれという考え、いいかえれば、ケインズ主義に帰れという考えです。しかし、新自由主義は、たんなる経済政策ではありません。一つの歴史的段階です。

世界資本主義は、七〇年代に一般的利潤率が低下して不況に陥った。そこで、そこからの回復を、グローバリゼーションに求めたわけです。また、何度も投機的バブルを繰り返してきた。しかし、それが望ましくないとしても、資本はそうせざるをえないのです。累進課税を導入できるのなら、そのほうがいいに決まっているけど、そんな余裕は資本のほうにはない。

新自由主義は自由主義とは反対のものです。たとえば、一九世紀イギリスでは、「自由主義」段階にあったとき、福祉政策があり、労働組合、協同組合が盛んであった。それが一九世紀末には無くなった。資本は海外に向かい、失業者があふれても放置されたままになった。同じことが、二〇世紀末の新自由主義（新帝国主義）において、生じています。それ以前の自由主義的段階では、アメリカにはケインズ主義的な福祉政策がありました。日本でもそうです。たとえば、累進課税制があったし、貧富の差もあまりなかった。だから、現在の新自由主義を見るには、一九世紀末、帝国主義と呼ばれた時期と比べるべきです。

――そうすると、現在、戦争が迫っているということが見えてきますね。

そうですね。現在の状況は第二次大戦の前、つまり一九三〇年代と似ているという人が多いのですが、的外れですね。その時期には、すでにアメリカがヘゲモニー国家として存在しており、それに対して、ドイツや日本が空しい挑戦をしていただけです。また、その後米ソ冷戦時代も、実際はアメリカがヘゲモニー国家でした。しかし、現在は違います。ヘゲモニー国家はすでに存在しない。だから、それをめぐる戦争が迫っているのです。したがって、過去を参照するなら、むしろ第一次大戦です。

第一次大戦の前に、それがあれほど長期にわたる大規模な戦争になると予想した人はいなかった、といわれます。それは最初、オーストリアの皇太子暗殺に始まるオーストリアとセルビアの紛争にすぎなかったからです。それが大戦争になったのは、この時期に、ドイツ、オーストリア、イタリアの同盟、イギリス、フランス、ロシアの同盟が存在したからです。ローカルであった戦争が、同盟関係を通して巨大戦争に拡大された。そして、それを止めるものがなかったのです。現在も、そのような状態になりつつあります。これまでなら、中東の戦争は中東に、東アジアの戦争は東アジアにとどまったのですが、どこで小さな戦争が起ころうと、世界的につながる可能性が出てきました。そして、国連にはそれを止める力がなくなってきている。だから、われわれは、平和についてあらためて考える必要があるのです。

——第一次大戦のあとに、国際連盟ができました。それは無力であったとしても、画期的なものですね。ある意味で、カントの理念が実現された。

カントは『永遠平和のために』を書いたとき、理想主義的だとヘーゲルに批判された。今もそのように批判されています。が、カントは別に、甘い理想主義者ではなかった。彼はむしろ、ホッブズと同様の見方をしていました。つまり、人間の本性（自然）には「非社会的社会性」があり、それをとりのぞくことはできないと考えていました。非社会的社会性とは、フロイトがいう攻撃欲動のようなものです。

したがって、カントは、諸国家連合が、人間の理性や道徳性によって実現されるとは考えなかった。彼は、それが実現されるのは、逆に、人間の攻撃性の発現、いいかえれば、戦争を通してであると、考えたのです。このような考え方は、ヘーゲルの「理性の狡知」に対して、「自然の狡知」と呼ぶことができます。実際、カントのいう諸国家連邦は、第一次大戦の結果として、実現されたわけです。

私はこのことを、別の観点から考えてみました。それはフロイトの精神分析です。フロイトは第一次大戦では、最初自国のオーストリアの戦争を支持していました。戦争が拡大し長引くにつれ、彼は否定的になりましたが、基本的にはこう考えた。戦争は、われわれが文明において抑圧している欲動を露出させる。だが、戦争が終われば、それは自然に消えていくだろう、と。ところが、戦争後に、彼はそうでない事実に直面しました。戦争神経症の患者に出会ったのです。彼らは毎日戦争の悪夢を見て飛び起きている。

そのあと、フロイトは考えを変えます。それまで、彼は「快感原則と現実原則」という二元性で考えていた。しかし、患者らに出会ったあと、彼は、そのような二元性の根底に、死の欲動、攻撃欲動があり、それが反復強迫をもたらしている、と考えるようになったのです。その場合、彼が強調したのはむしろ、死の欲動が能動的な役割を果たすという側面です。戦争神経症患者における反復強迫は、たんなるショックの名残なのではなく、それをあえて反芻することでショックを乗り越えようとする積極的な活動である。

このことは、フロイトがその後に超自我という概念を提起したことにつながっています。それに対応する概念は初期からありました。たとえば、『夢判断』（一九〇〇年）における、夢の「検閲官」です。それは、親を通して子供に内面化される社会的な規範のようなものです。それは現実原則をあらわしている。しかし、「自我とエス」という論文で明確にされた「超自我」は、それと似ていると同時に異なるものです。「検閲官」が他律的であるのに対して、超自我はいわば自律的、自己規制的なのです。それは、カントがいう実践理性に対応するものです。

死の欲動を導入することによって、フロイトは、「快感原則」を超え、ときには「現実原則」さえ超えてしまうような「自律性」の根拠を見いだしたのです。さらに、彼は、超自我が個人だけでなく集団にもあると考えました。このような考えの転回は、狭義の精神分析理論でよりも、彼の「文化」

論において示されています。というのも、文化は、集団における超自我の問題だからです。

したがって、後期フロイトの考えを典型的に示すのは、『文化への不満』（一九三〇年）です。それまで、彼にとって、「文化」は、快感原則を制限する現実原則を意味するものでした。そして彼はこう考えていた。そのような抑圧的な文化は必要であるが、時々それから解放される必要もある。だから、戦争もやむをえない、と。が、フロイトは『文化への不満』では、「文化」をむしろ積極的な役割を果たすものとして肯定したのです。それは、彼が文化＝超自我という見方を抱くようになったことを意味します。

人間の中にある死の欲動は、外に向かうと攻撃欲動となります。現実原則あるいは社会的規範によっては、それを抑えることはできない。したがって、戦争が生じる。一方、そのような攻撃欲動を抑えるものがある。それが「超自我」です。それは、外に向かった攻撃欲動が内に向けられたときに生じます。

このように、死の欲動が外ではなく内に向けられたとき、超自我＝文化が形成される。それが自然を抑制する。いいかえれば、自然によってのみ自然が抑制される。これは、カントが想定した「自然の狡知」、すなわち、人間の「社会的非社会性」の発露が結果的に平和をもたらすといった仕組みを説明するものです。

――そこで、柄谷さんは、日本の戦後憲法九条を、無意識の超自我として見る考えを提起されたわけですね。

憲法九条は、明らかに、自衛権を放棄しています。であれば、自衛隊もありえないはずです。自衛隊があるのは、憲法の解釈を無理に変えたからです。今や、さらに、解釈を変えて、集団的自衛権を唱えている。しかし、そこまで無理な解釈をするぐらいなら、憲法を変えたらいいではないか。なぜそうしないのか。むろん、もうそうしたら選挙で大敗すると判断しているからです。

たとえば、吉田茂首相は、朝鮮戦争が迫りマッカーサーが改憲を申し出たとき、それをことわった。しかし、それは彼が平和憲法を支持していたからではなく、もし改憲しようとしたら、選挙で負けることがわかっていたからです。彼はそのうち、改憲ができるような状況になるだろう、と考えていた。以後も、日本の保守党はずっとそう思ってきたのです。しかし、そうはならなかった。なぜ日本人は憲法九条を支持するのか。それを「意識」に求めてはいけない。日本人の場合、戦争の拒否は意識的なものではないからです。それは「無意識」だから、説得のしようがない。

たとえば、フロイトは、強迫神経症において、患者は外から見ると罪責感で苦しんでいるように見えるが、本人には何の自覚もないということを指摘しました。フロイトはそれを「無意識的罪責感」と呼んだ。日本人が憲法九条にこだわるのは、それと同じです。そこには反復強迫的な「無意識的罪悪感」があるのです。それは意識的なものではない。だから、憲法九条は、人びとが罪悪感をもったから作られたのではないし、また戦争への反省意識を強化することで維持されてきたのでもない。もしそれが意識的なものであったなら、九条はとうの昔に放棄されたでしょう。

戦後日本の保守派は憲法九条を、アメリカによって強制されたものだということで、批判してきました。左派の中にも、憲法九条を自発的な選択として選びなおすべきだという人たちがいます。しかし、私はそのような意見を疑います。先にいったように、占領軍が朝鮮戦争の段階で九条の改定を要求してきたとき、日本人は自発的にそれを斥けた。それ以後も、五〇年間、何度も選挙を経てそれを再確認してきた。したがって、憲法九条は人民の自発的な選択にもとづいているのです。彼らがそのことを認めないのは、それが最初に占領軍によって強制されたものだからです。それは確かです。しかし、強制と自発性はまったく背反するわけではありません。

日本人は九条を強制されたあとに、それを自発的に支持した。このことを、どう説明すればよいでしょうか。フロイトはこういっています。《人は通常、倫理的な要求が最初にあり、欲動の断念がその結果として生まれると考えがちである。しかし、それでは、倫理性の由来が不明なままである。実際には、その反対に進行するように思われる。最初の欲動の断念は、外部の力によって強制されたものであり、欲動の断念が初めて倫理性を生み出し、これが良心というかたちで表現され、欲動の断念をさらに求めるのである》（「マゾヒズムの経済的問題」一九二四年）。

フロイトのこの見方は、憲法九条が外部の力、すなわち、占領軍の強制によって生まれたにもかかわらず、日本人の無意識に深く定着した理由を見事に説明します。つまり、外部の力による戦争（攻撃性）の断念が先ずあって、それが良心を生み出し、さらに、それが戦争の断念をいっそう求めることになったのです。繰り返しますが、憲法九条は自発的な合意によってできたのではない。外部からの押しつけによるものです。しかし、だからこそ、それはその後に、深く定着した。もしそれが人びとの自発的な意志によって決められたとしたら、とうに廃棄されていたでしょう。

――カントの永遠平和の理念が、日本の戦後憲法において実現されたのは、日本人が長く戦争にコミットしたからだ。そこに「自然の狡知」がある、ということですね。

そう思います。だから、憲法九条は、簡単にとりのぞけないのです。そのことがわかっていないのは、保守派だけではない。護憲派もそうです。彼らは、第二次大戦後、日本人が戦争放棄の憲法を支持したのは、悲惨な戦争の現実を経験したからだと考える。そして、戦争および近隣諸国に対して行なったことに対する反省・謝罪の気持ちがあるからだ、と。そして、憲法九条が維持されてきたのは、人びとにそのような気持ちを維持し育成するような啓蒙運動が続けられてきたからだ、と。

しかし、私はそのような見方は正しくない、と思います。日本人は別にそのような意識的な反省によって憲法九条を創ったのではない。実際、それは占領軍によって押しつけられたのです。が、その後に、九条を支持するようになった。それは、知識人の啓蒙によってではない。もしそうであれば、世論操作によって変えられてしまうでしょう。また、戦争嫌悪が人びとの体験によるのであれば、時代が経ち、また世代が交代するにつれて、変わってしまうでしょう。ところが、憲法九条に関しては、少しもそうなっていない。現在、進歩派知識人の影響力が弱まってしまったにもかかわらず、国民の間で、憲法九条、すなわち戦争放棄への支持は、少しも弱まっていないのです。ゆえに、憲法九条は護憲勢力によって守られているのではない。その逆に、護憲勢力こそ憲法九条によって守られているのです。

もう一つ、日本人が意識していないことがあります。それは戦後憲法が、第一次大戦の結果として生じたパリ非戦条約から来るだけでなく、ある意味で、「徳川の憲法」（徳川の政治的システム）から来るということです。後者も戦争の結果として生まれたものです。実際、徳川幕府は、三世紀ほど続いた内戦状態、さらに、秀吉の朝鮮への出兵のあとに、全国を統一しただけでなく、戦乱の可能性を完全に抑え込むような体制を作ったのです。

　第一に、それは国内における、全般的な非軍事化です。大砲その他の武器の開発が禁止された。武士は帯刀する権利をもちましたが、抜刀することはまずなかったので、刀は「象徴」にすぎなかった。次に、東アジアにおける平和の実現をはかった。たとえば、朝鮮通信使に象徴されるように、朝鮮との友好関係を築いた。それらは戦後憲法でいえば、「九条」に対応するといえます。

　第二に、徳川は、天皇の権威を利用する権力闘争を終わらせるために、「尊王」によって天皇を非政治化する政策をとった。これは一種の象徴天皇制です。その意味で、戦後憲法の第一条は、徳川の憲法を回復するものです。その意味で、戦後憲法の要である一条と九条は、外から来たものではない。それは徳川の平和（パックス・トクガワーナ）を回復するものです。もちろん、日本人はそれを意識していない。ともかくそれらはアメリカによって押しつけられたものではなく、もともとあったものです（詳しくは、『憲法の無意識』（岩波新書）を参照されたい）。

　したがって、それを意識的に変えることはできない。選挙はともかく、国民投票になったら、「無意識」が必ず出てきます。現在、安倍首相らは、憲法九条を変えずに条項を加えるという案をもってきた。それは狡猾なやり方です。それに対して、護憲派は別に弱気になる必要はない。堂々と憲法を変えてみろ、と言い返せばいいのです。


――私は今回の柄谷さんの連載の最後で、柄谷さんが「非戦」について強調されたことは、当たり前といえばその通りですが、NAMがこの文脈で本質的にそのようもの（非戦）であると語られたことについて、大いに得心がいきました。

たとえば、第一次大戦のあと、ロシア革命が起こっただけでなく、国際連盟が創設された。これはロシア革命と同様、たんに、戦争があったからできたというようなものではありません。一九世紀末からの平和運動の盛り上がりがあったからこそできたのです。日本でも北村透谷が平和運動を始めて、カントの平和論を紹介したりしました。が、彼は一八九四年、日清戦争開始の三カ月前に二五歳で自殺してしまった。しかし、ともかく日本の戦後憲法は、たんに戦争の体験や占領軍の強制ではなく、そういう平和運動の累積の上にあるのです。

――ここで中間勢力（団体）の話をあえて蒸し返します。先ほどの農協論の延長になりますが、農協の解体・再編が進められたあと、次に攻めたてられるのはまちがいなく生活協同組合、生活クラブ生協ではないか、と思うのです。

農協は、国家によって解体・再編される前に、すでに協同組合の本質を無くしていたと思います。たとえば、柳田国男の考えたような協同組合とはほど遠い。資本主義経済の中に完全に従属していました。だからこそ、国家による解体・再編に抵抗できなかったのでしょう。一方、生活クラブ生協は、農協とは違います。しかし、その内部で、協同組合の原理よりも、資本主義的な原理が強くなりつつあると感じます。その傾向に対抗するのは難しい。それが今日の世間一般の常識ですから。

――柄谷さんが指摘なさっていましたが、確かにこれまでの農協のままではだめだと思います。

農協組合員の年齢構成や地域の情勢などをさまざまに見ていても、現状のままでいくら「俺たちはいじめられている」とかいったところで、その先に展望があるのかといったら、なかなか厳しい。何らかのきっかけで正しい再生が出てこないとしんどいだろうと思います。これ以上私は語る材料がありませんが、いずれにしても新たな決意を用意して農協の皆さんには頑張ってもらいたいと思うとともに、次はこっちも構えておかないといつやられるかわからないという認識をもっています。

そうですね。他人事ではありません。ただ、農協の場合、理論的に考え直す必要があると思います。今、地方では、農地が実質的に放棄されています。農協にとっては不利です。しかし、それはまた、旧来の農民ではなく、都市にいる人たちが新たに農業を始める機会でもあります。また、そう望む人たちは少なくない。だから、それを助け合うアソシエーションが必要です。それを農協が率先してやればよい。

――冒頭でもいわれていましたが、農業などの産業的なありようではなくて、農村=地域であり、そこの人びとの生業としてのあり方として農協を作り直していく方向性ですね。

柳田国男の農政学はそういう考えですね。明治国家は農業を援助し増産をはかった。しかし、農業が発展しても、農村は衰退します。以前の農村には、さまざまな農業、加工業、軽工業、さらに相互扶助的金融があったのですが、明治以後の農業政策は、農村に存在した手工業・加工業をすべて都市に移し、農村をたんに原料のみを生産する場とするものでした。ゆえに、農業生産力は増大したが、農村は衰退した。それに対して、柳田は、狭義の農業ではなく、農村、つまり人びとのさまざまなネットワークとして協同組合を考えたのです。したがって、それは、農業、牧畜、漁業のみならず、加工業、さらに流通や金融を包摂するものです。

その意味で、今日、柳田の農政学を受けついだといえる経済学者は、そう名乗っていた東畑精一ではなく、おそらく柳田のことをよく知らないであろう宇沢弘文です。先に述べたように、宇沢も、経営単位を、一戸一戸の農家ではなく、コモンズとしての農村においたのです。たとえば、昔の農村では、味噌、醬油、酒などを造っていた。それを狭義の農業だけにしてしまうと、経済的に成り立たない。そこで国家の援助に頼ることになる。そうではなく、農村全体を社会的なネットワークとして作り直すことが、柳田国男の考える協同組合です。今までの農協にはそのような理念がなかった。

――国家と資本の力の大きさに脅えることなく、非戦・反戦と神の国運動というか、協同組合的なものの同時推進、その柔軟かつ複数の運動展開こそが求められており、現実的である、そういうお話だったと思います。

ところで四月（二〇一五年）に私は韓国のある生協を訪問することになり、そこにカール・ポランニー研究所なるものがあって、予習のために若森みどり氏著の『カール・ポランニー』（NTT出版）を再読しました。そこにこんな一文があります。「人間は、完全な自由や完全な共同体を現実の社会で実現することができない。こうした謙虚な認識こそ、社会主義が必要とするものであり、社会制度の不断の改良の原動力になるものである」。

このような考え方を私の勝手な解釈では、柄谷さんは「統整的理念」（カント）などによって、長年主張されてきました。しかし完全がないから「諦観」かといえばそれは違う。私たちはこれを「希望」とし、着実に未来につなげていかなければならないと思います。今回の対談でもそのことを学ばせていただきました。その意味では柄谷さんの今後の協同組合論（交換様式Dの理論）に期待しています。

本日は、長時間おつきあいいただいて、まことにありがとうございました。

（二〇一五年三月六日、聞き手：加藤好一）

2 アソシエーションとデモ

序文

二〇〇二年末にNAMを解散したあと、私はデモのことを考えるようになった。NAMには東京でも大阪でもデモをやろうとする人たちがいたが、それを嫌がる雰囲気が主流であった。本当は、彼らが嫌がったのは、デモそのものより、それを行なってきた組織やその理論のほうであった。実際、それらはアソシエーションの運動に反するものであったから。しかし、アソシエーションとデモは背反するわけではない、と私は考えていた。むしろデモは、アソシエーションによってのみ可能となる、と。ただ、そのことをあらためて論じようとする雰囲気がNAMにはなかった。私がNAMの解散に踏み切った理由の一つは、そこにある。

私は一九六〇年四月、安保闘争の最中に上京して大学に入り、ただちにデモに参加した。入学式には行かなかったが、その前に国会デモには行ったのである。しかし、以来日本では、このときのような大きなデモがなくなってしまった。なぜ日本にはデモがないのか。私はこの問題を二〇〇三年イラク戦争が始まったときに考え始めた。日本の自衛隊が派遣されたことに抗議するデモがほとんどなかったからだ。私が気づいたのは、日本にデモがないのはアソシエーションがないからだ、ということである。それに関して、「日本人はなぜデモをしないのか」という講演をしたり、小説家小嵐九八郎によるインタビュー『柄谷行人 政治を語る』で、一九六〇年以来の政治的体験にもとづく考えを話したことがある。★

ところが、その時点では思いもよらなかった出来事が、その後に起こった。つまり、二〇一一年三月の福島原発事故のあとに大きなデモが起こったのである。これは一九六〇年以来の規模であった。しかも、それは、政党、労働組合、新左翼党派、大学自治会といったものに依拠しないものであった。この大きなデモを形成したのは、数多くのアソシエーションである。そして、その中でも、私が注目したのは「素人の乱」という集団であった。

私は知り合いの編集者に、彼らが主宰するデモでスピーチをしてほしいと頼まれた。そこで、二〇一一年新宿駅アルタ前の反原発デモの集会に出向いた。実は、デモでスピーチをするのは初めてであった。しかも、その日のデモでは何人も逮捕者が出て、新宿駅前には騒然とした雰囲気があった。私が警察の装甲車に囲まれた車の上に登っていくと、闇を背景にしたまばゆい照明の中に、一人の男が立っていた。それが松本哉であった。こういう〝初対面〟はめったにないだろうと思う。

松本哉は学生時代から風変わりなデモを幾つもやってきたが、別にデモを専門にしてきたわけではない。彼がやってきたのは、高円寺商店街で「素人の乱」と名乗る商店の連携組織である。彼はそれを「マヌケ」たちの運動と呼んでいる。これこそ、まさにアソシエーションの運動であると、私は思う。

さらに、もう一つ、予期しなかった出来事が起こった。『政治を語る』が台湾で翻訳され、それが二〇一四年「ひまわり学生運動」をになった学生たちに読まれたのである。彼らは立法院（国会）を占拠した。私はその年の終わりに、台湾の活動家の前で、学生運動に関して講演した。

この章には、以上のような経過を示す資料を集めた。

1……日本人はなぜデモをしないのか

（1）日本特有の抑圧

今日話したいのは、「日本人はなぜデモをしないのか」という問題です。また、それを通して、現在の日本の社会がどういうものなのかを考えたいと思います。

二〇〇三年にイラク戦争が始まったとき、私はたまたまアメリカのロサンジェルスにいました。日本の知り合いから、「アメリカは今ひどくなっているけれども大丈夫ですか」というEメールが来ました。実際に反戦運動をしていた人が殺された事件があり、それが日本で報道されたようです。その当時日本では、アメリカでまるで反戦運動がないかのように報道していましたが、それは事実ではな

★『柄谷行人　政治を語る』は図書新聞から出版された。さらに、二〇一一年に、週刊読書人・明石健五によるインタビューで、「反原発デモが日本を変える」と題する話をした。それらを合わせて、『政治と思想』（平凡社ライブラリー）を出版した。

い。私が教えていた大学の中でも外でも、毎日デモがあったし、全米でもありました。そして、次の大統領選挙では、誰であれ、イラク戦争を支持した候補者は勝てない、と考えられるようになっていました。実際、オバマが大統領選挙に圧倒的に勝利したわけです。

だから、「大丈夫ですか」といわれても、私はむしろ日本こそ大丈夫なのかと心配になった。当時、ブッシュを支持したブレア首相のいたイギリスをはじめ、ヨーロッパ各国で、巨大な抗議デモがあり、それが報道されていました。アジア諸国、韓国やインドでもあった。ところが、日本にはほとんどなかったように見えます。日本が戦後の憲法に反して、はじめて海外に人員を送ったということが、アメリカでも報道され注目を集めていた時期です。それなのに、街頭での反対運動がほとんどないということは、外から見れば、不気味でした。実際には、日本にも沖縄をはじめデモがあったのですが、それは外からはまったく目立たない程度の規模でした。

日本ではある時期から、選挙で決めるのだから、デモによって政策を変えるのは、民主主義ではない、という理屈が通ってきました。議会制民主主義が確立していない国では、デモのような行動で事が決まるが、先進国ではそんなことはない、というのです。これは一九六〇年の安保闘争のころに出てきた議論です。しかし、当時でも、久野収は、議会制民主主義は、議会の外の活動なしには機能しないということを強調しました。ヨーロッパ諸国のように、議会制民主主義を保持する国でも、デモは盛んです。ところが、日本には、それがほとんどないに等しい。では、なぜなのか。

街頭でのデモ（示威行進）は古いからだ、という人たちがいます。また、インターネットなどの普及で、さまざまな抗議の手段が増えたという人たちがいます。確かに市街戦や武装デモはもうありませんが、古典的なデモは今も西洋で存在しています。いかに非能率的に見えようと、それはやはり効果がある。実際、アメリカでイラク戦争反対の大きなデモがあったことが、今日のイラク戦争批判に結実したのです。しかし、日本ではデモがほとんどなかった。そして今でも、アメリカのイラク戦争に真っ先に支援を申し出た小泉政権への批判は、日本のメディアの中にはまるで存在しません。そのくせ、オバマの勝利を歓迎し、アメリカの民主主義を称賛しています。

したがって、日本にデモがないのは、インターネットが普及したせいではありません。たとえば、韓国では日本よりもはるか以前からインターネットが普及しており、盧武鉉が当選したときの大統領選では、インターネットのおかげで勝てたと聞きました。つまり、韓国では、インターネットはデモの宣伝や連絡手段として役立っていますが、日本ではむしろその逆です。人びとはウェブ上に意見を書き込んだだけで、すでに何か行動した気になり、デモには行かない。だから、それはインターネットのせいではないのです。

話題を二〇〇三年の時点に戻しますが、外から見ると、日本のこの静けさ、政治的無活動性は異様である。日本は専制国家ではない。しかし、専制国家と似たような抑圧があるように見えるのです。それは、日本が監視社会になっているということとはまた別の話です。たとえば、フランスの思想家ジル・ドゥルーズはフランスやアメリカに関して監視社会の到来を予測しました。事実、その通りになっているのですが、それでもフランスやアメリカにはデモがあります。日本にはない。ゆえに、日本の状態は、監視社会あるいは管理社会といったことでも説明できないのです。では、どうしてそうなのか。私はその原因を考えなければならない、と思いました。

そのとき、私は、昔読んで気になっていたことを思い出したのです。たとえば、和辻哲郎は昭和初期にこう書いていました。以下の文は、彼が一九二〇年代のドイツに二年ほど滞在したときの経験です。

共産党の示威運動の日に一つの窓から赤旗がつるされ、国粋党の示威運動の日に隣の窓から帝国旗がつるされるというような明白な態度決定の表示、あるいは示威運動に際して常に喜んで一兵卒として参与することを公共人としての義務とするごとき覚悟、それらはデモクラシーに欠くべからざるものである。しかるに日本では、民衆の間にかかる関心が存しない。そうして政治はただ支配欲に動く人の専門の職業に化した。ことに著しいことは、無産大衆の運動と呼ばれているものが、ただ「指導者」たちの群れの運動であって指導せられるものをほとんどあるいはまれにしか含んでいないという珍しい現象である。もとよりそれはこの運動が空虚であることを示すのではない、しかし日本の民衆があたかもその公園を荒らす時の態度に示しているように、公共的なるものを「よそのもの」として感じていること、従って経済制度の変革というごとき公共的な問題に衷心よりの関心を持たないこと、関心はただその「家」の内部の生活をより豊富にし得ることにのみかかっているのであることは、ここに明らかに示されていると思う。(『風土』)

私がこのような発言を覚えているのは、昔読んで意外に思ったからです。それは、和辻は保守的で、反西洋的な思想家だと思っていたからです。そして、この発言を思い出したのは、彼が指摘したような現象が、その後もさほど変わっていないと思うようになったからです。和辻が描いているのは、一九二〇年代後半、ナチも共産党もともに少数派であった時代です。しかし、私が驚くのは、彼がその時期のドイツと日本について述べたことが、現在にもある程度妥当するということです。

私は一九六〇年に大学に入学したので、六〇年安保闘争に参加しました。安保闘争というと、全学連のような学生運動が中心だったように見られますが、多いときは、一〇〇万人以上の人がデモに参加していた。つまり、あらゆる階層、数多くのグループの人たちが参加していたのです。この当時、私は、デモに行くのは当たり前だと思っていましたが、日本の歴史において、それほど多数の人間がデモに行った例はないのです。それに感銘を受けた丸山眞男とか久野収といった人たちは、やっと日本に市民社会が成立した、ということを書いていました。一方、私のような学生は、つまらんことを言ってやがるな、という感じでそれを見ていました。そういう考え方を、進歩主義、近代主義として馬鹿にする感じが一般にあった。そして、丸山眞男のような知識人を馬鹿にするその傾向は以後も続き、全共闘といわれる一九六〇年代の終わりごろの運動の時期に、それが頂点に達したといえます。

しかし、その時点ではすでに、六〇年にあったような極めて規模の大きな一般市民のデモはなかったのです。学生や新左翼の活動家が主であり、さらに、運動が減退するにつれて、デモの参加者は限定されていった。それと同時に、デモが暴力的になりました。一般の人が行けるようなデモではなくなった。和辻の言葉でいえば、「指導者たちの群れの運動」しかなくなってしまったのです。その意味では、新左翼の過激なデモが、ありふれた市民のデモを抑圧してしまったといえます。しかし、ありふれた市民のデモが存在しないからこそ、デモが過激化したということもできる。この二つは相関的、相補的であると思います。

とにかく、和辻が七〇年ほど前に書いたことが、今でも当てはまる。昭和の初期からさほど変わっていないように見えます。だから、このことを、資本主義の発展による変化、大衆社会や情報社会の変化のせいだとはいえません。仮にそうだとしても、そのような様相をどこよりも顕著に示すのが日本なのです。それはなぜなのか。

(2) 日本人の「公共性」意識

和辻哲郎がデモのことを例にとったのは、日本における、「公共性への無関心」ということをいいたかったからですね。彼はその原因を、次のような点に求めています。簡単にいうと、西洋においては、個人が城壁によって外界から区切られた都市共同体という公的空間の中で育まれるのに対して、日本では、個人は「家」の中にあり、公共性に対して無関心である、ということです。西洋においては、家の中でも、人は私的ではない。私的なのは部屋の中だけであって、廊下は公的である。ゆえに、部屋に鍵がかけられる。それに対して、日本人の「家」は、垣根に囲まれた私的空間である。

城壁の内部においては、人びとは共同の敵に対して団結し、共同の力をもっておのれが生命を護った。共同を危うくすることは隣人のみならずおのが生存をも危うくすることであった。そこで共同が生活の基調としてそのあらゆる生活の仕方を規定した。義務の意識はあらゆる道徳的意識の最も前面に立つものとなった。とともに、個人を埋没しようとするこの共同が強く個人性を覚醒させ、個人の権利はその義務の半面として同じく意識の前面に立つに至った。だから「城壁」と「鍵」とは、この生活様式の象徴である。(『風土』)

「家」を守る日本人にとっては領主が誰に代わろうとも、ただ彼の家を脅やかさない限り痛痒を感じない問題であった。よしまた脅やかされても、その脅威は忍従によって防ぎ得るものであった。すなわちいかに奴隷的な労働を強いられても、それは彼から「家」の内部における生活は、脅威なき生活をさえ奪い去るごときものではなかった。それに対して城壁の内部における生活は、脅威への忍従が人から一切を奪い去ることを意味するがゆえに、ただ共同によって争闘的に防ぐほか道のないものであった。だから前者においては公共的なるものへの無関心をともなった忍従が発達し、後者においては公共的なるものへの強い関心関与とともに自己の主張の尊重が発達した。デモクラシーは後者において真に可能となるのである。議員の選挙がそこで初めて意義を持ち得るのみならず、総じて民衆の「輿論」なるものがそこに初めて存立する。（同前）

和辻は、日本人が公共的なものに無関心であり、その意味で「私的」であるというのです。私的ということと、個人的ということとは別です。西洋の場合、公共的なものへの関心が、逆に、個人性を強くする。一方、日本では、個人が弱い。日本ではよく、個性を尊重せよといわれますが、それは私的なものを重視するという意味です。したがって、個人としては弱い。そこで、自由都市とか市民社会とかいうと、私的個人から考えることになりがちです。しかし、ヨーロッパの都市は、ギルドや同業組合のような集団から成り立っています。要するに、都市というのは、たくさんの個人の集まりではなく、同業組合のような集団の連合体としてあったのです。そのような連合体、ネットワークの総体が都市である。個人はその中に育つ。だから、公共性に対して無関心な個人などありえないのです。

ついでにいうと、和辻は日本を西洋と比較しているだけではなく、中国とも比較しています。彼の考えでは、中国の社会は、民間の同郷団体の連合としてある。国家はその表層にある、ただの官僚組織にすぎない。《シナの民衆は国家の力を借りることなくただ同郷団体の活用によってこの広範囲の交易を巧みに処理して行った。従って無政府的な性格はその経済的統一の邪魔にはならなかったのである。シナの国家と言われるものはこういう民衆の上にのっている官僚組織なのであって、国民の国家的組織ではなかった》。

もちろん今の中国はだいぶ変わりましたが、ある点では、基本的に変わっていないと思います。たとえば、現在の中国は共産党による強力な国家的統制にもとづいているように見えますが、その経済的な強さはむしろ、客家・華僑など国家の力によらない世界的なネットワークによると思います。中国を見るときに、この両義性に注意する必要がある。日本とは違います。

(3) 社会と国家が一致してしまう日本

実は、最近、今述べたのと同じことを指摘している本が出ました。宮崎学の『法と掟と』です。宮崎はここで、「個別社会」ということをいっています。社会学では部分社会と全体社会という区別がありますが、宮崎は部分社会のほうをとくに個別社会と呼んでいます。部分社会といっても、全体を構成する一部ではなく、むしろ全体社会から独立しかつ抵抗するような部分社会を、とくに個別社会と呼ぶわけです。

たとえば政治学などでは、習俗とか村落などを、国家と個人との間に実在するさまざまな集団を、中間団体あるいは中間勢力といいます。この中間団体、中間勢力というのは、モンテスキューの考えなのですが、宮崎のいう個別社会は、それとほぼ同じ意味です。ただ、宮崎学の独自な認識は、全体社会と個別社会を、〝法〟と〝掟〟という観点から区別したことにあります。

たとえば、村の共同体でもいいし、宮崎が例にとるヤクザの組織でもいいのですが、個別社会には、その中で共有されている規範があります。それを掟と呼ぶことにします。掟は、法のように明文化されていないし罰則もないけれども、人はめったにそれを破らない。掟で禁じられていることをやれば、いわば村八分にされるからです。

一方、法というのは、個別社会の外で、もはや掟が通用しないようなところに成立します。たとえば、国民国家のように全体社会の中で共有されている規範は、掟ではなく、法です。たとえば、家の中でどんなに暴力沙汰になっても、警察を呼ぶことはめったにありませんね。なんとか家庭の中で、あるいは親戚や知り合いの間で解決する。そして、それではどうにもならなくなれば警察が呼ばれる、つまり、法が出てくるわけです。いずれも共同の規範なのですが、この点で、個別社会の掟と全体社会の法とは違っています。

ところで、宮崎学によると、日本の社会ではそういう区別が成り立たない。掟をもった自治的な個別社会が稀薄だからだ、と彼はいう。その原因は、日本が明治以降、封建時代にあった自治的な個別社会を全面的に解体して、人をすべて全体社会に吸収して、急速な近代化を遂げたことにある。それに対してヨーロッパでは、近代化は自治都市、協同組合、ギルドその他のアソシエーションが強化されるかたちで徐々に起こった。「社会」というのは、そのような個別社会のネットワークを指すわけです。それが「国家」と区別されるのは当然です。

ところが日本では、個別社会が弱いために、社会がそのまま国家である。さらに、日本を支配しているのは、国家でも法でもなくて、正体不明の「世間」であると、宮崎学はいいます。日本は、自律性をもった個別社会を解体したために、国民国家と産業資本主義の急激な形成に成功はしたけれども、それは今やグローバリゼーションの下では通用しなくなっている。それに対して中国では、個別社会

――幇（パン）や親族組織――が強く、それが国民（ネーション）の形成を妨げてきた。そのために、中国の近代化は遅れた。しかし、中国には、国境を越えた個別社会のネットワークがある。逆に、今日のグローバル資本主義経済の下では、それが強みとなっている。一方、日本にはそれがないということが、弱みとなりつつある、と宮崎学は考察しています。

(4) 個人析出の四つのパターン

すでに明らかでしょうが、今述べた宮崎学の考えは、まさに和辻が述べたことと重なるのです。さらに、宮崎は日本の特徴を、明治以後、封建時代にあった自治的な個別社会を全面的に解体してしまったことに由来するというのですが、これもまた、丸山眞男が考えていたことと同じことになります。

丸山眞男は、個別社会という言葉を使いませんが、それと同じものを「自主的集団」と呼び、また、モンテスキューから借りて「中間勢力」と呼んでいます。それについては、あとで説明しますが、ここでいっておきたいのは、次のことです。丸山眞男は、近代主義者、市民主義者、そして、進歩的知識人の典型と見なされて、攻撃されてきました。しかし、彼の主張は、必ずしも「進歩主義的」ではないのです。たとえば、彼は、西洋において「学問の自由」という伝統を作ったのは、進歩派ではなく、古い勢力、中間勢力だといっています。

国家権力の前に平等にひれ伏す臣民の造出が、ほとんど抵抗らしい抵抗をみないで成功したことの背景には、むろん、教育権を国家がいち早く独占したことが大きな意味をもっております。

国家が国民の義務教育をやるということは、今日近代国家の常識になっておりますが、この制度が、日本ほど無造作に、スムーズに行われた国は珍しいのであります。なぜかといえば、ヨーロッパでは、教会という非常に大きな歴史的存在が、国家と個人との間にあって、これが自主的集団といわれるもの、つまり、国家によって作られた集団ではなく、権力から独立した集団のいわゆる模範になっております。この教会が、教育を伝統的に管理していた。そこでこの教会と国家との間に、教育権をめぐって非常に大きな争いをどこの国でも経験している。ところが日本では、徳川時代からすでに、たとえば仏教のお寺は完全に行政機構の末端になっておった。つまり日本では、寺院がすでに自主的な集団ではなくなっておった。ですから寺子屋教育を国家教育にきりかえることは、きわめて容易だったわけです。そのほか、ヨーロッパでは、自治都市や地方のコンミューンがやはり国家権力の万能化に対するとりでとなり、自主的楽園の伝統をつくる働きをしましたが、この点でも、日本では、都市はほとんど行政都市でしたし、また徳川時代の村にわずかに残った自治も、町村制によって、完全に官治行政の末端に包みこまれてしまったので、中央集権国家ができ上がると、国家に対抗する自主的集団というものはほとんどなく、その点でも、自由なき平等化、帝国臣民的な画一化が、非常に早く進行しえたわけです。(「思想と政治」『丸山眞男集』第七巻、一二八-一二九頁)

日本では個別社会が弱い、中間勢力が弱い、それが中央集権化を可能にした。しかし、同時に、それが個人を弱くした、ということです。もちろん、それは個人主義がまったくないということを意味するのではありません。たとえば、和辻哲郎がいったのは、次のようなことです。近代日本に個人がないのでない。ただ、その個人は家の中にしか関心をもたない。公共的関心をもたない、ということです。つまり、そのような個人は「私的」なのです。

しかし、この点についても、丸山眞男は深い洞察を示しています（「個人析出のさまざまなパターン」『丸山眞男集』第九巻）。彼は伝統的な社会（共同体）から個人が析出される（individuation）際のパターンを、図のようなマトリックスで考察しました。それは、近代化とともに生じる個人の社会に対する態度を、結社形成的 associative と非結社形成的 dissociative というタテ軸と、政治的権威に対する求心的な centripetal 態度と遠心的な centrifugal な態度というヨコ軸による座標において見るものです。その結果、図のように、四つのタイプが考えられる。

簡単にいうと、①の民主化した個人のタイプというのは、集団的な政治活動に参加するタイプです。そして②の自立した個人のタイプというのは、集団的な政治活動からは自立する。しかし同時に、結社形成的である。つまり、政治を拒否しているわけではなく、いざとなれば、参加するけれども、ふだんは特別に政治的な活動はしないというようなタイプですね。したがって、①のほうはだいたい中央権力を通した改革を志向するけれども、②のほうは市民的自由の制度的保障に関心をもち、地方自治に熱心である、ということになります。

（2） 自立化 individualization	（1） 民主化 democratization
（3） 私化 privatization	（4） 原子化 atomization

次に、③は私化したタイプで、これは①の民主化タイプの反対ですが、②とも違います。③はいわば、政治活動を一切拒否して、私的な世界に立てこもるというようなタイプです。つまり和辻の言葉でいえば、垣根の内側にしか関心がない。文学でいうと、これは「私小説」ですね。

次に、④の個人は、③と同様に、政治的・集団的なものから切り離されたあり方ですが、③と違って、私的な核もなく、大衆社会の流れのままに浮動するような個人です。丸山眞男はこう書いています。《私化した個人は、原子化した個人と似ている（政治的に無関心である）が、前者では、関心が私的な事柄に局限される。後者では、浮動的である。前者は社会的実践からの隠遁であり、後者は逃走的である。この隠遁性向は、社会制度の官僚制化の発展に対応する。（中略）原子化した個人は、ふつう公共の問題に対して無関心であるが、往々ほかならぬこの無関心が突如としてファナティックな政治参加に転化することがある。孤独と不安を逃れようと焦るまさにそのゆえに、このタイプは権威主義リーダーシップに全面的に帰依し、また国民共同体・人種文化の永遠不滅性といった観念に表現される神秘的「全体」のうちに没入する傾向をもつのである》（同前三八五頁）。

つまり、私化した個人のタイプは政治参加しないが、原子化した個人のタイプは、「過政治化と完全な無関心」の間を往復する。これは大衆社会における個人のあり方です。丸山眞男が念頭に置いているのは、ファシズムに吸収された大衆のことですね。

ここで、先に和辻が考察したことを丸山の図式にもとづいて見直すと、次のようになります。和辻がいう「城壁」の中で公共性のための共同的闘争と同時に生じてくる個人とは、自立化する個人のタイプ②であり、「家」の中にあってその外に無関心であるような個人とは、私化する個人のタイプ③である。しかし、西洋の市民社会でも、一九世紀になると③のタイプが出てきますし、二〇世紀になって大衆社会化してくると、④のタイプが出てきます。実際、和辻がドイツから帰国した後は、ナチが政権を握ったのです。

もちろん丸山眞男は、この四つのタイプに人間がふりわけられるといっているわけではありません。ある人間が全面的に一つの型であるということはない。生涯を通じて変わらないということもない。いろいろな要素を同時にもっているのです。それから、社会も一つのタイプだけではない。複数のタイプがどの社会にもある。ただ、どの要素が支配的であるかということで、違いが出てくるのです。

丸山によれば、一般的に、近代化が内発的でゆっくり生じる場合、②と③の分布が多くなり、他方、後進国の近代化においては、①と④の分布が多くなる。また、一般的に、資本主義経済が浸透し、大衆社会化するにつれて、④が強くなる。日本を含めた「後進国」の近代化の場合、①の傾向が強いということはわかります。韓国などもそうですね。そして、現在の韓国では、②と③、さらに、④の傾向が強く出てきています。しかし、まだまだ、②が強いといえます。

一方、日本に特徴的なことは、②の要素が弱く、③と④の傾向が強いということです。つまり、自立化する個人のタイプが少なく、私化する個人のタイプが多い。日本では、個人主義的である場合、私化します。つまり、タイプ③になるので、公共的な政治的な参加には向かわない。そして、日本では、資本主義的発展がさほど進んでいない段階から、つとに「大衆社会」現象が見られました。つまり、④の要素が強かった、ということです。

（5）近代化の速度と中間勢力の関係

では、なぜそうなのか。別の論文で、丸山眞男は次のように指摘しています。

日本における統一国家の形成と資本の本源的蓄積の強行が、国際的圧力に急速に対処し「とつ国におとらぬ国」になすために驚くべき超速度で行われ、それがそのまま息つく暇もない近代化——末端の行政村に至るまでの官僚制支配の貫徹と、軽工業及び巨大軍需工業を機軸とする産業革命の遂行——にひきつがれていったことはのべるまでもないが、その社会的秘密の一つは、自主的特権に依拠する封建的＝身分的中間勢力の抵抗の脆さであった。明治政府が帝国議会開設にさきだって華族制度をあらためて創設（創られた貴族制というのは本来形容矛盾である）しなければならなかった皮肉からも、ヨーロッパに見られたような社会的栄誉をになう強靱な貴族的伝統や、自治都市、特権ギルド、不入権をもつ寺院など、国家権力にたいする社会的なバリケードがいかに本来脆弱であったかがわかる。前述した「立身出世」の社会的流動性がきわめて早期に成立したのはそのためである。政治・経済・文化あらゆる面で近代日本は成り上り社会であり（支配層自身が多く成り上りで構成されていた）、民主化をともなわぬ「大衆化」現象もテクノロジーの普及とともに比較的早くから顕著になった。（『日本の思想』岩波新書）

日本の近代化の速さの秘密は、封建的＝身分的中間勢力の抵抗が脆いところにある、というのです。これは先ほど述べたように、明治日本において、国家が教育の権利をやすやすと握ったということとつながっています。それが可能だったのは、徳川体制の下で、仏教団体がたんなる行政機関になっていたからですね。彼らは一六世紀末に転向し、国家に屈服したのです。それは、自由都市（堺は一向宗、京都は法華宗）が崩壊したのと同じことです。日本にも存在していた都市（市民社会）が、この時点で解体されたといってもいいと思います。ただ、京都や大阪にはこの当時の市民社会の伝統が多少残っているといえます。

ヨーロッパだけでなく、アラビアでもインドでもどこでも、中間勢力が存在し、近代国家の集権化に抵抗しています。現在なら、アフガニスタンやイラクを見ればよいと思います。イスラム教の諸派が国家から自立し、また、それを通して、諸部族が自立している。これを国民国家として統合するのは容易ではありません。

丸山眞男が進歩的啓蒙派であるといわれるのに、封建的というべき旧勢力の抵抗を不可欠なものとして重視しているのは、不思議に見えますが、モンテスキューの考えを知っていれば、別に驚くことでありません。モンテスキューは、フランス革命より前の人で、ルソーとよく比べられます。ルソーはまさにブルジョア（市民）革命の人ですが、モンテスキューはいわば貴族（封建領主）階級を代表する人です。ただ、ルソーにはないような重要な認識をもっていました。

一般に、共和政治・君主政治・専制政治という政体が区別されるのですが、モンテスキューの考えでは、そんな区別は重要ではない。君主制は、権力を拘束しうる中間勢力（貴族、聖職者など）が存在しないと、専制政治になる。その点では、共和制も同じである。実際、フランス革命から出てきた「恐怖政治」がそれを証明しています。一方、専制体制を阻止するのは、中間団体・中間勢力である。モンテスキューは、それを貴族や教会に求めました。いいかえれば、その当時、遺物であり、啓蒙派によって攻撃されていたものにこそ、専制政治を妨げる鍵を見いだしたわけです。

今まで述べたことをまとめると、次のようになります。日本では、個別社会・中間勢力がなかったために、つまり、社会的次元の抵抗がなかったために、統一国家の形成が速く、産業化も速かった。しかし、われわれは、そのツケを別のかたちで支払わなければならなくなる、ということです。

（6）中間勢力不在のツケ

丸山眞男は、明治以後に起こった日本の現象を、この図式で考察しました。個人化が、私化になるということは、小説でいえば、私小説です。日本の批評家は私小説を批判してきました。それは西洋の小説を誤解し矮小化するものだ、と。しかし、それはたんなる誤解ではありません。先の図でいえば、西洋の近代小説が②にもとづいているのに、日本では②のベースがなく、ただちに③になってしまったのです。

私小説の基盤である「私化」を斥けたのは、昭和初期に風靡したマルクス主義（文学）です。小林秀雄はこういっています。《マルクス主義文学が輸入されるに至って、作家等の日常生活に対する反抗ははじめて決定的なものとなった。輸入されたものは文学的技法ではなく、社会的思想であったという事は、言ってみれば当り前の様だが、作家の個人的技法のうちに解消し難い絶対的な普遍的な姿で、思想というものが文壇に輸入されたという事は、わが国近代小説が遭遇した新事件だったのであって、この事件の新しさということを置いて、つづいて起った文学界の混乱を指摘し難いのである》（「私小説論」）。

つまり、マルクス主義が③から①への転回をもたらした。しかし、それは一時的なものでした。まもなくマルクス主義者は弾圧されて転向したのですが、そのとき、②よりもむしろ、大半が③ないし④に向かった。つまり、私小説や大衆小説に向かったのです。第二次大戦後においては、①が復活した。知識人の間で、共産党が支配的となったからです。それは③だけでなく、②も否定するものでした。それに対しては、戦後文学者が抵抗したと思います。彼らは戦争期には、①から②に向かった人たちです。戦後、彼らは一方では、①のような共産党の運動に抵抗すると同時に、他方で、私小説、つまり、③に閉じこもることにも抵抗した。こうした両義性が一九六〇年まで存在したのです。それが日本の「戦後文学」の特徴です。

なぜ一九六〇年か、といえば、そのとき、それまで支配的であった共産党の権威が消滅したからです。いいかえれば、①が否定されるようになった。一九六〇年以後の新左翼は、個人の契機を重視する。つまり、②のような形態が主流になったわけです。ところが、一九七〇年以後、運動が①として過激化するとともに、その挫折から、③に向かう傾向が強まった。さらに、そこから②に向かうより、④に向かうようになった。つまり、大衆社会・消費社会の個人と、それを代表する文化に向かったのです。

以来、現在にいたるまで、③と④が支配的です。つまり、私的であるか、アトム（原子）的である。しかし、これを、大衆社会・消費社会に一般的な現象として見ることはできません。それはどこでも先進資本主義国では見られる現象ですが、何度もいうように、それに還元してしまうことはできない。

この原因はやはり、日本の近代の歴史の特異性、つまり、中間集団、個別社会を滅ぼすことで成立した、近代国家の歴史に求めなければならないと思います。そして、それは明治時代だけの現象でなく、一九九〇年代まで続いています。この間、さまざまな個別社会が、古い勢力、国家・国益を脅かす要素として、次々と非難され制圧されてきました。たとえば、労働組合（国労や日教組）、創価学会、部落解放同盟、朝鮮総連、大学（教授会）の自治——。そのような非難は、グローバリゼーションというスローガンの下でなされたのです。二〇〇〇年の時点で、こうした個別社会、中間勢力はほぼ壊滅していました。その上に、首相小泉純一郎が登場し、彼に対するあらゆる抵抗を「守旧派」として否定したわけです。

そこにいたるまでの過程を少しふりかえってみます。先ほどいったように、丸山眞男は一九六〇年の安保闘争で、広範な大衆が参加したデモを見て、日本に市民社会が定着したと感じた。しかし、実は、まさにその時点に、それと反対の出来事が起こっていたのです。安保闘争と同じ時期に、巨大な労働争議（三池闘争）があった。これに敗北した結果、労働組合運動、のみならず、社会主義運動一般が後退し、弱体化したのです。

新左翼は、私自身もそうでしたが、安保闘争を学生運動の観点から見る傾向があります。というのも、新左翼にはほとんど学生運動しかなかったからです。しかし、安保のデモを大規模にしたのは、学生運動ではない。労働組合、つまり総評です。特に国労です。実際、国鉄の政治的ストライキが政府に打撃を与えたことは深刻です。だから、国労をつぶすことが、国家と資本の課題となったのです。もちろん、国労だけでない。日教組もそうです。こうした「中間勢力」が各地・各界に存在したのですが、安保闘争以後、日本の国家と資本はこれを「鞭と飴」の政策で抑え込もうとした。実際、それに成功しています。一九七〇年ごろの学生運動、つまり、「全共闘」の時点では、学生の活動がありましたが、それが労働運動とつながることはほとんどなかった。農民運動ともつながらなかった。三里塚闘争などを例外として。

その点で、フランスなどの一九六八年革命は違っています。むしろ、それは、日本で一九六〇年の安保闘争においてあった状態と似ていました。労働組合があり、共産党があり、社会党があった。そして、それらに混じって、学生の先端的な運動があったのです。学生だけが孤立してやっていたのではない。フェミニストやマイノリティ、さまざまに対立する諸勢力が輻輳することによって、六八年の革命があったといえます。もちろん、それは、都市のコンミューンの運動という伝統の上に存在した。それが日本にはなかったのです。

ただ、一九六〇年にはそのような雰囲気があったと思います。だから、丸山眞男たちが感銘を受けたわけです。しかし、一九六八年には、一九六〇年にあったもの、つまり、「中間勢力」が抜けていました。安保闘争に懲りた日本の国家と資本はこの間、懸命にそれを切り崩そうとしたからです。けれども、一九八〇年代以後に起こったことを見れば、まだまだ「中間勢力」が日本に残っていたといえます。たとえば、一九九〇年以後、新自由主義という言葉が普及しました。しかし、それはすでに一九八〇年代にレーガン主義、サッチャー主義として存在したものです。日本では中曽根首相がそれを代表しました。彼は国鉄の民営化を進めた。それは実は、国鉄労働組合（国労）の解体です。国労は労働総評議会（総評）の要でしたから、その解体は総評の解体です。一九九〇年の時点で、総評が消滅していた。したがって、それに支えられてきた社会党も消滅したのです。

次に、日教組の弾圧。教育の統制が進められた。大学の民営化というのは、実際は、国営化です。それまでの大学は、国立であっても、自治的であった。つまり、一種封建的な中間勢力でした。民営化によって、こうした自治的集団が解体された。私立大学でも同じです。国家の財政的援助の増大とともに、国家によるコントロールが強化されたわけです。

さらに、特筆すべきなのは、公明党を連立政権に加えることによる、創価学会のとりこみです。与党であるために、創価学会は年来の課題であった、大衆福祉と反戦の主張を留保したわけです。こうして、中間勢力であった宗教的勢力が抑え込まれた。もう一つは、部落解放同盟の制圧です。部落解放同盟は、部落だけでなく、すべての差別される少数派の運動を支えていました。また、それは右翼しょう。

を抑制する力があった。解放同盟が無力化したのち、差別主義的な運動が生まれてきたといえるで

以上述べた中間勢力は一九九〇年代に、メディアのキャンペーンで、次々と攻撃されました。封建的で、不合理、非効率的だ、これでは、海外との競争に勝てない、と。このような非難に抵抗することは難しかった。実際、大学教授会は古くさい、国鉄はサービスがひどい。解放同盟は糾弾闘争で悪名高い。たしかに、批判されるべき面が多々ある。擁護するのは難しいのです。

しかし、「中間勢力」とは一般にこういうものだというべきです。たとえば、モンテスキューは、民主主義を保障する中間勢力を、貴族と教会に見いだしたわけですが、両方ともひどいものであった。フランス革命でこのような勢力がつぶされたのも当然です。だから、こうした中間勢力を擁護するのは難しい。一斉に非難されると、つぶされてしまうほかない。しかし、その結果、専制に抵抗する集団がなくなってしまったのです。

日本で中間勢力がほぼ消滅したのが二〇〇〇年です。そこに、小泉政権が出てきたわけです。そして、彼は中間勢力の残党を「守旧派」として一掃しようとした。先ほどモンテスキューが、中間勢力がない社会は専制国家になるといったことを述べましたが、その意味で、日本は今世紀に入って、専制的な社会になったといえます。いかなる意味でそうなのか。その一つの例が、日本にはデモがないということです。

(7) 現在はいかなる専制的体制か

現在の専制的社会は、別に、専制君主や軍事的な独裁者が支配する社会ではありません。そのよう

な専制国家に比べれば、日本は、国民主権の体制であり、代表制民主主義の国です。では、なぜそれが専制国家なのか。それを見るために、代議制民主主義について考える必要があります。そこでは、国民は、総選挙を通して、立法や行政の権力を決定することができることになっています。だが、実際はどうか。

代議制においては、個々人が投票します。しかし、そのとき、個々人は、具体的な個別社会を捨象した、抽象的な個人としてしか存在できない。各人は密室のように隔離されたところで投票用紙に名を書き込む。個人は他人と出会うことはありません。先ほどの図でいえば、各人は④の状態にあります。

では、主権者である国民は、どこにいるのか。代議制において、国民は、いわば「支持率」というかたちでしか存在しません。それは、統計学的に処理される「幽霊」的存在である。たとえば、テレビの業界では視聴率が支配しています。誰がテレビを観ているのかはわからない。ただ、統計学的な数値が支配する。

国民が主権者であるといっても、どこにも明確な個人は存在しない。視聴率と同様に、正体不明の支持率が存在するだけです。各人は、与えられた候補者や政党から、選びます。しかし、これは政治的な参加だろうか。各人に可能なのは、代表者を選ぶことだけです。モンテスキューは、代議制は貴族政ないし寡頭政だといいました。それに対して、民主主義の本質はくじ引きにある、と。つまり、行政における実際上の権利において平等であることが、民主制なのです。

代議制が寡頭政ないし貴族政だということは、今日、かえって露骨に示されています。たとえば、日本の政治家の有力者は、二世・三世、あるいは四世です。彼らは、各地方の殿様のようなものです。

その点では、徳川時代と変わらない。むしろ、徳川時代のほうがましでしょう。徳川時代では、世襲といっても、実質的に養子制にもとづいていたからです。また、幕府の老中は、藩の規模・ランクよりも大名の個人的能力にもとづいて選ばれていた。それに比べて、現在の代議制はどうか。未曾有という字を読めない首相がいる。未曾有の事態です。もちろん、字が読めても同じことです。官僚が考えたことを読むだけですから。官僚を攻撃して喝采を浴びる政治家がいますが、結局のところ、別の官庁や官僚が決めたことに従っているにすぎない。ゆえに、現在の日本は、国家官僚と資本によって、完全にコントロールされている。だから、専制国家だ、というべきです。

では、専制国家から出るためにどうすればよいか。一言でいえば、代議制以外の政治的行為を見いだすことですね。繰り返しますが、代議制は代表者を選ぶ寡頭政です。それは民衆が参加する民主主義ではありません。参加的民主主義は、議会だけではなく、議会の外の政治活動、たとえば、デモのようなかたちで実現されると思います。議会選挙があるのだから、デモで政局を変えるのは、民主主義的でない、という人たちがいます。しかし、代議制だけならば、民主主義ではありえない。実際、アメリカでも、デモが多い。選挙運動そのものがデモのようなものです。デモのような行為が、民主主義を支えるのです。

一九六〇年の六月、連日大規模なデモに包囲されて、首相岸信介はこういいました。後楽園球場には何万も観衆がいる。そういう「声なき声」は私を支持している、と。実際、デモに来る人は、少数です。どんなに多くても、テレビを観ている視聴者に比べれば、わずかでしかない。しかし、このようなデモがあるかぎり、主権者としての国民が存在するといえるのです。だから、他の国では、人びとは、選挙とは別に、デモをするわけです。ところが、日本にはそれがない。それは、すでに述べたように、中間勢力・個別社会がつぶされたからです。そのため、デモをするのは幼稚だ、野暮だ、よくないというような風潮がある。

一方、デモをしようとしてもできない。どうしたらいいのか、という人たちがいます。たとえば、一九六〇年の時点で、日本にデモが多かったのは、労働組合が強かったからです。それが核となって、多くの団体や個人が集まった。私化した個人（③のタイプ）にとっては、たんなるデモでも大変な飛躍を意味します。次に④のアトム化したタイプは、デモには来ない。公共的な関心がないからです。彼らがそれをもつときは、外国に対するナショナリズムをかき立てられるときですね。しかし、日本では、それもデモとして表面化しない。ネットで騒ぐだけです。

では、日本人は、個人として弱いのか。そのようなメンタリティなのか、といえば、違うと思います。どの国でも、集団から切り離された個人は弱い。それに対して、「個人と国家の間にある自主的集団」、つまり協同組合・労働組合その他の種々のアソシエーションに属している個人は、強いのです。たとえば、日本人は、海外で、日本人同士集まるといわれる。しかし、違いますね。むしろ、日本人は連帯することを嫌い、外国に同化しようとする。ゆえに、個人としても弱いのです。何があっても泣き寝入りになりやすい。他の国から来た人たちはそうではない。固く結束する。だから、個人としても強いのです。

②のタイプ、つまり、結社形成的な個人は最初からいるのではない。むしろ、結社の中で形成されるものです。つまり、②のタイプは、たんなる市民ではなく、何らかのアソシエーションに属しています。一方、私化した個人は相互に孤立しているから、政治的には脆弱であるほかない。

（8）「アセンブリ」とは何か

あらためていいますが、日本人がデモに行かないのは、大衆社会や消費社会のせいだという人がいるし、また、ネットなどさまざまな政治活動・発言の手段があるという人がいます。しかし、それは先進国一般に当てはまるものであって、日本の状況をとくに説明するものではない。たとえば、もともと②のタイプ（結社形成的な個人）が多いところでは、インターネットは結社形成を助長するように機能する可能性があります。しかし、日本のようなところでは、インターネットは「原子化する個人」のタイプを増大させるだけです。

匿名で意見を述べる人は、現実に他人と接触しません。一般的にいって、匿名状態で解放された欲望が政治と結びつくとき、排外的・差別的な運動に傾くことに注意すべきです。だから、ここから出てくるのは、政治的にはファシズムです。しかし、それは当たり前なのだから、放っておくほかない。ネット上、とくに匿名で、人を説得しようなどとしてはいけない。場所あるいは構造が、主体を作るのです。その証拠に、匿名でない状態に置かれると、人は意見を変えます。

ゆえに、現代の日本の状態を、社会学的な観点から説明することは間違いです。これは政治的な敗北がもたらした専制国家の状態だと見るべきです。そして、そうであるかぎり、それを変えることができます。大事なのはそのことです。そのためには、われわれは個別社会、結社（アソシエーション）を作る必要がある。もちろん、それは何であってもかまわない。小さな寄り合い、連絡会議のようなものでもよい。それがないかぎり、個人は弱い。③か④になるに決まっているのです。

最後に、そのことに関して、日本では一つの例外としてあった沖縄について話したいと思います。イラク戦争のときも、沖縄では大きなデモがあった。沖縄には米軍の基地があるのだから、これは当然です。沖縄は日本国家からたえず不当な扱いを受けてきました。しかし、彼らがデモをするのは、たんにそれだけではないですね。

琉球が日本の支配下に入ったのは明治以後です。沖縄にはいわば「徳川時代」がなかったのです。沖縄には自立的な共同体がまだ濃密に残っています。現在でも、もやい（頼母子講）のような信用制度がまだ生きている。一方、沖縄はたくさんの島からなっていて、それぞれの島が他の島を嫌っています。日本本土あるいは米国に対しては結束するけれども、ふだんは違います。しかし、このように、人びとが「掟をもった自律的な社会」である個別社会に属することが、逆に個々人としての強さをもたらしているのではないか、と思います。

かつての京都についても似たようなことがいえます。たとえば、東京では一九七〇年代前半に学生運動もデモも終わったのに、京都ではそれが八〇年代まで続いていた。京都がそうであったのは、都市共同体の伝統が残っていたからだと思います。それは必ずしも「進歩主義」的なものではありません。京都にはお寺、被差別部落をふくむ、さまざまな中間勢力がはっきり残っていたということです。一九九〇年以後にそれらが没落したために、現在のようになったのです。

私がデモについて語るのは、もちろん、デモによって革命を起こせとか、デモによって社会を変えよ、というためではありません。デモそのものに意味があるのです。デモの存在は、その国が専制国家でなく民主的であるということを端的に証明するものです。最後に、あらためて、デモとは何かを考えたい。

たとえば、日本の憲法二一条に「集会・結社・表現の自由」とありますが、デモという語は見あたらない。それは、デモが集会（アセンブリ）の中にふくまれるからです。ところが、日本ではデモと集会を区別する慣習があるため、無用の混乱が生じています。集会は許容されるとか。そのような混乱を避けるために、私はデモや集会のかわりに、「アセンブリ」と呼ぶことにします。実は、議会もアセンブリなのです。

アセンブリとは「集まり」であり、日本語でいえば「寄り合い」です。近代以前からそれはあった。日本だけではない。どんな社会にも古来、寄り合いのようなものがあった。それが議会（アセンブリ）に発展したのです。だから、デモ・集会と議会は同根です。ルソーはいう。《人民はアセンブリにおいてだけ、主権者として行動しうるだろう》（『社会契約論』）。この場合、アセンブリは、代議制の議会ではありえません。そこでは、「寄り合い」にあった直接民主主義的な要素は失われてしまうからです。代議制では、人民が主権者となるのは投票するときだけで、そのあとは奴隷となってしまう、とルソーはいう。《代表という考えは近代のものである。古代の共和国では、いな君主国においてすら、人民は決して代表者をもたなかった》。

先にいったように、代議制は貴族政的なものです。では、ルソーがいうような、人民が主権者として登場するアセンブリ、直接民主主義はどこにあるでしょうか。それを古代アテネの民会のようなものだと考えるのは、まちがいです。あれは少数の市民だけが参加するものです。多数を占める女性や奴隷、外国人、子供は締め出されている。ついでにいうと、ソクラテスはダイモン（霊）にいわれて、民会には行かず、広場（アゴラ）で議論をした。むしろ、そこに真の民会、真の直接民主主義があったのです。

ルソーはこういいます。《人民のアセンブリは、いつの時代にも、支配者たちの恐れるところであった。だから、彼らは、集まっている市民に嫌がらせをするために、つねに、配慮、反対、妨害を惜しまなかった》(同前)。ルソーがそういったわけではないが、このような人民のアセンブリは、街頭のデモ・集会以外に考えられません。実際、日本では、デモはたえず妨害され嫌がらせを受けている。なぜか。それはそこに真のアセンブリがあるからで、それこそ「支配者たちの恐れるところ」だからです。

要するに、日本において民主主義は、デモをするほかに実現できません。デモなどで社会が変わるか、といってはいけない。デモをする以外に、日本の社会は変わらないのです。

(早稲田大学、二〇〇八年一一月二七日／京都造形芸術大学、同年一二月二六日)

2……二重のアセンブリ

日本の憲法二一条に「集会・結社・表現の自由」とあるが、デモという語は見あたらない。それは、デモが集会(アセンブリ)の中にふくまれるからだ。しかし、日本ではデモと集会を区別する慣習があるため、無用の混乱が生じている。それを避けるために、私はデモや集会のかわりに、「アセンブリ」と呼ぶことにしたい。

アセンブリとは「集まり」であり、古風な日本語でいえば「寄り合い」である。近代以前からそれはあった。日本だけではない。どんな社会にも古来、寄り合いのようなものがあった。それが議会(アセンブリ)に発展したのである。しかし、現在の代表制議会には、「寄り合い」にあった直接民主主義的な要素は失われている。それを取り戻すにはどうすればよいのか。アセンブリを行なうほかに、そのすべはない。

二〇一二年六月に、野田首相が「国民の生活のために」原発再稼働を強行して以来、毎金曜日、首相官邸前の集会・デモ（アセンブリ）が膨らんでいった。それとともに、元首相もふくむ国会議員らがその場にやって来て、参加者たちに挨拶するようになった。官邸前は国会前でもある。つまり、議会（アセンブリ）がそこにある。それが総選挙を経て選出された国民の代表者らの活動の場である。では、なぜ彼らは街頭のアセンブリにやって来るのか。来るべき選挙を考慮してのことか。

しかし、彼らの魂胆がどうであれ、彼らの行為はそれ自身、次のような事実を証明している。それは、国会というアセンブリが、それとは異なるタイプのアセンブリを無視しえなくなった、ということだ。国会の内と外に、二種類のアセンブリが出現したことは、格別、異例のことではない。このような二種類のアセンブリは、ルソーが人民主権を唱えたときすでに想定されていたのである。

ルソーはいう。《人民はアセンブリにおいてだけ、主権者として行動しうるだろう》（『社会契約論』）。この場合、アセンブリは、代議制の議会ではありえない。代議制においては、人民が主権者となるのは投票するときだけで、そのあとは奴隷的となってしまうからだ。たとえば、国民は自ら政府を選んだとしても、「国民の生活のために」原発再稼働を決行するという首相の意志に服従しなければならない。

ルソーはこのような代議制を否定した。《代表という考えは近代のものである。古代の共和国では、いな君主国においてすら、人民は決して代表者をもたなかった》。では、ルソーがいうような、人民が主権者として登場するアセンブリはどこにあるだろうか。《人民のアセンブリは、いつの時代にも、支配者たちの恐れるところであった。だから、彼らは、集まっている市民に嫌がらせをするために、つねに、配慮、反対、妨害を惜しまなかった》（同前）。ルソーがそう明言したわけではないが、このような人民のアセンブリは、街頭の集会・デモ以外に考えられない。実際、国会前の集会は、たえず妨害され嫌がらせを受けている。というのも、そこに真のアセンブリがあるからだ。それこそ「支配者たちの恐れるところ」だからだ。

ところで、代議制に対して、直接的・参加的民主主義のシステムが考えられてきた。「評議会」（カウンシル）がその一例である。これはドイツ語でレーテ、ロシア語でソヴィエトと呼ばれてきたものだ。評議会もある意味で代表制にもとづくシステムである。ただ、次の点で、いわゆるブルジョア議会とは違っている。

議会は生産関係を抽象したアトム的な個人の秘密投票にもとづいている。ここでは、代表する者と代表される者との間に、現実的な関係がない。ゆえに、代表者はいったん選挙に通れば、何をやってもよい。たとえば、公約に反してよいし、政党を変えてもよい。むろん次の選挙で落ちるかもしれないが。他方、評議会は、同業組合、労働組合、地域、その他諸団体で選出された代表から成る。この場合、代表者は出身集団の意向に従う。さもないと、下から更迭されてしまうからだ。したがって、議会制とは違って、ここでは代表者と代表される者との間に、分離ないし自己疎外は生じない。

しかし、注意すべきなのは、評議会でも次第に代表者が固定されるようになり、代表される者から独立するのみならず、逆に、代表される者を服従させるようになるということである。つまり、評議会はボトムアップからトップダウンの組織に転化する。こうして、議会だけでなく、評議会も、人民が主権者としてあらわれるような場ではなくなってしまう。

たとえば、一九一七年ロシアの二月革命は、先ず街頭のアセンブリによって生じた。そして、その後に二重のアセンブリが生まれた。つまり、議会とソヴィエト（評議会）の二重権力と呼ばれる事態が生じたのである。この時点で、ボルシェビキ（後の共産党）は、議会でもソヴィエトでもまったくの少数派であった。四月に亡命先のスイスから帰国したレーニンは、「全権力をソヴィエトに」と唱えた。そして、十月革命（軍事クーデター）によって、それを実現した。しかし、このとき、議会が廃止されただけではない。評議会も本来の直接民主主義的な性格を喪失した。まもなく共産党が評議会を支配し、評議会はトップダウンの組織に転化したのである。

以後、このような官僚制的組織に異議を唱えるようなデモ・集会はすべて弾圧された。しかし、レーニンやトロツキーは議会を廃止しても、けっして街頭のアセンブリを抑圧してはならなかったのだ。それがなければ、一度固定してしまった評議会をボトムアップの状態に戻すすべがないからだ。繰り返すが、街頭のアセンブリにおいてこそ、主権者としての人民があらわれるのである。

ちなみに、ロシアでは一九九一年以後、とうの昔に形骸化していた評議会制を廃棄し、ブルジョア議会制を再導入した。しかし、その結果実現されたのは、プーチンの独裁政治でしかない。要するに、どんな場合も、街頭のデモがないかぎり、つまり、二重のアセンブリがないかぎり、人民主権はありえないのである。

（「週刊金曜日・臨時増刊――さよなら原発　路上からの革命」二〇一二年九月二四日）

3……デモの始まり

（1）デモでのスピーチ

私は四月から反原発のデモに参加しています。この新宿駅前の集会にも、6・11のデモで来ています。

私はデモに行くようになってから、デモに関していろいろ質問を受けるようになりました。それらはほとんど否定的な疑問です。たとえば、「デモをして社会を変えられるのか」というような質問です。それに対して、私はこのように答えます。デモをすることによって社会を変えることは、確実にできる。なぜなら、デモをすることによって、日本の社会は、人がデモをする社会に変わるからです。

考えてみてください。今年の三月まで、日本には沖縄をのぞいて、ほとんどデモがなかった。それが現在、日本中でデモが行なわれるようになっています。その意味で、日本の社会は、少しは変わったわけです。たとえば、福島原発事故のようなことがドイツやイタリアで起こればどうなるか、あるいは、韓国で起こればどうなるか。巨大なデモが国中に起こるでしょう。それに比べれば、日本のデモは異様なほど小さい。しかし、それでも、デモが起こったということは救いです。

デモは主権者である国民にとっての権利です。デモができないなら、国民は主権者ではない、といってもいい。たとえば、韓国では二〇年前までデモができなかった。軍事政権があったからです。しかし、それを倒して、国民主権を実現した。デモで倒したのです。そのような人たちがデモを手放すはずがありません。

では、なぜ、日本ではデモが少ないのか。なぜ、それが変なことだと思われているのか。それは、国民主権を、自分の力で、闘争によって獲得したのではないからです。日本人は戦後、国民主権を得ました。しかし、それは敗戦によるものであり、事実上、占領軍によるものです。自分で得たのではなく、他人に与えられたものです。では、これを自分自身のものにするためにどうすればよいのか。デモをすること、です。

私が受けるもう一つの質問は、デモ以外にも手段があるのではないか、というものです。確かに、デモ以外にも手段があります。そもそも選挙がある。その他、さまざまな手段がある。しかし、デモが根本的です。デモがあるかぎり、その他の方法も有効である。デモがなければ、それらは機能しません。今までと同じことになる。

さらに、私は、このままデモは下火になっていくのではないか、という質問を受けます。戦後日本には全国的規模のデモが幾度かありました。しかし、それは短期間しか続かず、敗北に終わった。今回のデモもそうなるのではないか、というのです。

確かにその恐れはあります。マスメディアでは、すでに福島の事故は片づいた、ただちに経済復興に取り組むべきだ、という意見が強まっています。むろん、そんなことはない。福島では、何も片づいていない。しかし、当局やメディアは、片づいたかのようにいっている。最初からそうでした。彼らは最初から、事実を隠し、たいしたことがなかったかのように装ったのです。ある意味で、それは成功しています。多くの人たちがそれを信じている。そう信じたいからです。としたら、今後に、反原発のデモが下火になっていくことは避けられない――と、いうふうに見えます。

しかし、違います。福島原発事故は、片づいていない。今後もすぐには片づかない。むしろ、今後に、被爆者の病状がはっきりと出てきます。また、福島の住民は永遠に郷里を離れることになるでしょう。つまり、われわれが忘れようとしても、また実際に忘れても、原発のほうが執拗に残る。それがいつまでも続きます。原発が恐ろしいのはそのことです。それでも、人びとはおとなしく政府や企業のいうことを聞いているでしょうか。もしそうであれば、日本人は物理的に終わり、です。

だから、私はこう信じています。第一に、反原発運動は長く続くということ、です。第二に、それは原発にとどまらず、日本の社会を根本的に変える力となるだろう、ということです。

皆さん、ねばり強く闘いを続けましょう。

（「9・11原発やめろデモ」〔新宿駅アルタ前〕でのスピーチ、二〇一一年九月一一日）

（2）デモと「哲学の起源」

『哲学の起源』（岩波書店、二〇一二年）が読者によって紀伊國屋読者大賞に選ばれたと聞いて、大変うれしく思います。

私は本書を、二〇一一年、原発震災のあとに始まったデモに行くかたわら、毎月雑誌に書き続けました。たまたまそのような巡り合わせになっただけですが、後から思うと、そのことには一つの必然がありました。ソクラテスはダイモン（精霊）に「民会」（議会）には行くな、しかし、正義のために戦えといわれた。それで彼は「広場」に出かけたのです。そこで静かな問答をしたのではありません。彼自身は穏やかに話したが、しばしば怒った相手に殴り蹴られた。しまいには、市民が参加する法廷で死刑の宣告を受けた。

私が本書で論じたのは、いわゆる「ソクラテス以前の哲学」ですが、それは通常、ソクラテスとはまるで異質なものと見なされます。しかし、私はソクラテスを「ソクラテス以前の哲学」を受け継ぐ者として見ました。彼は意識的にそうしたのではない。ダイモンの命令によって、つまり、無意識にそうしたのです。私は本書を書きながら、デモに行った。むろん、ダイモンの声を聞いたからではなく、やむにやまれずそうしただけです。しかし、そのとき、「ソクラテス以前の哲学」、すなわち「哲学の起源」が回帰してきたのではあるまいか。今、私はそう思います。

今日、哲学はたんに、知識を厳密に基礎づける仕事だと考えられています。しかし、その「起源」において、哲学はむしろ真の生を開示するものであった。哲学がそのようなものであるなら、またそうであるかぎりにおいて、私は自ら哲学者でありたい、と考えています。

（『哲学の起源』が二〇一二年「紀伊國屋じんぶん大賞」を受賞した際の受賞の言葉）

（3）デモとマヌケ――松本哉『世界マヌケ反乱の手引き』について

二〇一五年夏に、安保法案に反対する大きなデモがあった。マスメディアでは、それはサウンド・デモなど、旧来と異なる新鮮なものであり、学生集団シールズがそれをもたらしたと報じられていたが、それは不正確である。このようなデモは、一一年に高揚した反原発デモの延長としてあったのだ。そして、それに最も貢献したのは松本哉の率いる高円寺「素人の乱」であった。彼がサウンド・デモを最初に企てたのは、イラク戦争反対デモにおいてであるが、それ以前に、もっと珍奇なデモをいくつも企ててきたのである。その経緯をふりかえった著書が、『貧乏人の逆襲――タダで生きる方法』（二〇〇八年）である。

しかし、彼がそこで追求していたのは、たんにデモのことではなく、まさに標題通りの問題であった。彼がいう「貧乏人」とは、一九九〇年以後、新自由主義の下で貧窮化した人たちだといってよい。この状況に対して、二つの態度がある。一つは、中産階級の基準に固執する「賢い」生き方である。もう一つは、それを放棄した「マヌケ」な生き方だ。

大概の人は前者を選ぶが、それは困難であって、努力しても実際にはますます貧窮化する。にもかかわらず、他人と交わり、助けあうことはしない。そして、結局、国家に頼り、排外的になる。一方、

「マヌケ」たちは寄り集まり、国家にも企業にも依存しないで暮らせるように工夫する。前書ではそのやり方が書かれていた。たとえば、リサイクルショップ、日替わり店長バー、ゲストハウス、イベントスペースの運営など。つまり、資本主義的でないオルタナティヴな空間を自分たちで作り出すこと。松本自身は高円寺商店街に拠点を見いだし、デモもそこから始めた。

本書はその続きであり、やり方がもっと多彩になったとはいえ、基本的に同じことが書かれている。しかし、明らかに違っている点が一つある。それは、オルタナティヴな空間を固定的に考えないことだ。実際に、次のような変化があった。前書がすぐに韓国、台湾で出版され、各地に「貧乏人の逆襲」、「マヌケ反乱」を生み出したのである。さらに、それらが相互につながるようになってきた。アジア以外のマヌケも参加するようになり、また、独自のパスポートや通貨を作るようになってきた。

このような変化が生じたのは、世界各地で新自由主義経済が進行し、どこでも階級格差が深まっているからだ。それは排他的なナショナリズムをもたらす。それを避けるためには、マヌケたちの陽気な連帯が必要だ。その一例がここにある。

（朝日新聞・書評、二〇一六年九月一七日付）

(4) スピーチ「NAMとマヌケ」

三日ほど前に、突然、松本哉から電話があり、高円寺商店街の再開発に反対する集会に来てくれないか、と頼まれました。私は承諾しましたが、そのとき、急に想い出したことがあります。松本さんに聞こうと思ったのですが、聞きそびれた。それはこういう話です。実は、二年前に中国・広州の中山大学に講演に行きました。その翌日、いろんな人たちと会ったのですが、その中に、高円寺のマヌケ運動とつながりがあるという人たちがいました。

その人たちは、私が一七年前に書いた『ＮＡＭ原理』を、翻訳出版したいというのです。ＮＡＭとは、New Associationist Movement の省略形です。私は、その二年後にＮＡＭの運動を解散したのですが、そのとき、この本も絶版にしました。ただ、英語版がウェブに出ていた。彼らはそれを読んだという。私は、出版したいならどうぞ、といいました。すると、二カ月ほど前に、向こうからこういうメールが来たのです。

柄谷行人先生
ご無沙汰しております。この前、中国語版の『ＮＡＭ原理』を先生に手渡すことを松本哉さんに願いしましたが、無事にお受け取りになったでしょうか。

松本さんに聞こうと思ったのは、実は、そのことでした。私は「無事に受け取って」いなかったから。このメールには、さらに、次のようなことが書かれていました。

『ＮＡＭ原理』は予想をはるかに上回る注目を浴びました。たくさんの読者が本書に啓発され励まされ、新しい社会的実践の道やネーション＝国家＝資本に対抗する方向性を見いだしたといっています。彼らはまた自発的に多数の都市（広州、上海、汕头、武漢、長沙、北京）で本書の読書会を組織しました。

というわけです。実は、昨日気づいたのですが、ＮＡＭというのは、字を反対にすると、ＭＡＮ

――、つまり、まぬけ、となります。だから、『NAM原理』は『マヌケ原理』だといえます。そして、これが中国に広がっている。大丈夫なのかと、いろんな意味で心配になりますが。

しかし、何やかやで、マヌケの運動が中国に浸透していることは疑いない。そうだとしたら、今や、高円寺は世界のマヌケの運動のメッカです。メッカというより、マヌケというべきか。高円寺の再開発とは、それを破壊するものです。皆さん、マヌケの高円寺を護りましょう。

（高円寺商店街の再開発に反対する集会〔高円寺中央公園〕でのスピーチ、二〇一八年九月二三日）

4……学生運動とは何か

（1）戦後、「学生運動」は左翼運動全体を再建した

私は今日、戦後日本における左翼運動の歴史について話すように頼まれているのですが、それを包括的に語ることはできません。日本には左翼運動の歴史に関する本が多くあります。たぶん台湾にもあるだろうと思います。しかし、私が今日話したいのは、そういう本の中には出てこないような事柄です。

今年、台湾には「ひまわり」学生運動と呼ばれる出来事がありました。それについては、日本でもさまざまな報道・論評がありました。その中でよく見かけたのは、こういう意見です。それは、日本にはこのような素晴らしい学生運動がない、というものです。そのようにいうのは、大体、一九六八年以後の日本の左翼運動しか知らない人たちです。しかし、それはまちがいです。日本には学生運動があった。が、まさに、一九六八年以後になくなったのです。

一九六八年は、欧米でも、ステューデント・パワーと呼ばれる運動がありました。そのため、日本の六八年も、その影響、ないしは、それと似たようなものだと思われているようです。しかし、それは違います。六八年に欧米で起こったような一連の出来事は、実は日本で、一九六〇年に起こっていた。それは学生運動であり、広汎な大衆に支持されたものでした。しかも、共産党を批判する新左翼の運動であった。それは世界的に、例外的なものでした。では、それはどこから来たのか。

それについて述べる前に、戦前からの日本の左翼運動について概観します。それは、一九一七年ロシア革命以前まではアナーキストが中心でしたが、以後、共産党が中心となりました。その場合、共産党員は事実上、ほとんどが学生でした。が、それは学生運動ではありえなかった。彼らの理論によれば、学生はプチブルジョア階級であるから、自己否定して、プロレタリア階級の解放のために働くべき存在である。だから、実際には学生がやっていても、それは学生運動ではないし、そうであっては困るのです。

要するに、私がいう「学生運動」は、たんに学生が政治的に参加することで成り立つわけではない。学生運動が成立するには、別の要素が必要です。さらに、それを意味づける理論が必要です。それが日本で出現したのは、第二次大戦後です。

先ず、戦前の左翼運動についていえば、日本共産党は、コミンテルン、というより、ロシア共産党の指令にもとづいていました。たとえば、それは、一九二七年に、天皇制打倒を唱えた。それは日本の天皇をロシアの皇帝と同一視する理論にもとづいていました。それはまちがいです。また、一九二七年は日本で普通選挙が実現された年なのですが、この時期、日本の政治体制を絶対王政と見なしてその打倒を呼びかけるという、時代錯誤的方針をとったのです。その結果、弾圧されただけではなく、大衆からの支持を無くした。そして、大量の転向者が生まれた。共産党の運動は、逆に、天皇を掲げる国家社会主義を助長することにしかならなかったのです。

一九三〇年代には、共産党員のほとんどが転向してしまい、ほんの一部が獄中、非転向であった。そのため、戦後に、彼らが指導者として権威をもったのですが、彼らの頭の中は戦前と同じだから、ひどいものです。戦後まもなく、アメリカ占領軍は日本を民主化するための政策をとりました。たとえば、農地改革で、小作人に土地を与えた。また、労働運動、左翼運動をサポートした。そこで、共産党は最初、アメリカ軍を解放軍として称賛したのです。しかし、ソ連に批判されて、また意見を変えた。その程度の判断力しかなかったのです。

朝鮮戦争が始まるとともに、共産党は弾圧されるようになりました。そのとき、共産党の主流派は武装戦術をとりました。その一つが「山村工作隊」です。これは、山林地域では農地改革がなかったから、まだ小作人による革命が可能だという判断にもとづく方針です。中国革命が成功したあとだったから、毛沢東の戦術を真似たのです。これには、多くの学生が参加した。もちろん、そんなものが山村の農民に歓迎されるわけがない。さんざんな目にあっただけです。この運動には、今著名な人たちが学生時代に参加していました。小説家でいえば、安部公房、映画監督でいえば、大島渚。歴史学者では、網野善彦。建築家では、磯崎新。彼らは学生時代にそのような運動に参加した。が、むろん、それは「学生運動」ではありません。

しかし、こういう情けない状況の下でも、学生運動は存在しました。それは、共産党の影響下にあったとはいえ、党中央からは独立した運動でした。それは何にもとづいたのか。共産党中央からいえば、トロツキズムとかアナキズムの影響ということになるでしょうが、そうではありません。私の考えでは、それを可能にしたのは、党員であった武井昭夫の「層としての学生運動」という理論です。それによれば、学生はプチブルジョアであるとしても、階級関係から相対的に自立して、普遍的に考えることができる「層」である。彼は、学生運動の自律性をそのように強調したのです。これはまた、党からの独立性を意味します。

武井昭夫はのちに文芸批評家として知られますが、これを唱えたのは、まだ大学生のころです。彼は一九四八年に全学連、つまり、全日本学生自治会総連合を創設した。彼が初代の全学連委員長です。彼は全国の大学をまわって自治会を組織した。交通事情の悪かった時代ですから、全国の大学を、汽車を乗り継ぎ、歩いてまわった。

自治会とは、評議会、英語でいえば、カウンシル、ドイツ語でレーテ、ロシア語でソヴィエトです。注目に値するのは、そのとき、自治会と同時に、生協を作ったことです。当時、大学生は比較的に豊かな階層から来ていましたが、戦後ですから衣食住に事欠いていました。「層としての学生」という考えは、同時に、学生の生活を学生自身で確保しようという考えとつながったわけです。武井は、学生自治会（評議会）を、そのように自律的な存在にしようとしたのです。それはまた、学生運動を、共産党から自律的なものにすることになります。

ふりかえってみると、武井の考えは、旧制高等学校の体験から来ていると思います。彼らは全員、寮で一緒に生活し、現実の出身階級を超えて普遍的な理念を追求しようとした。武井がいう「層としての学生」という考えは、そのような体験に根ざしていると思うのです。彼の学生運動の理論は、当然、共産党中央から非難、攻撃されました。しかし、共産党中央の運動が軍事的闘争によって左翼運動を壊滅させてしまったのに対して、「学生運動」は、授業料値上げ反対や米軍基地反対闘争などを通して、左翼運動全体を再建したのです。

（2）安保闘争を担う新左翼は輸入思想ではなかった

一九五〇年代後半には、ソ連でスターリン批判があり、ハンガリー革命が続いて、新左翼思想がグローバルに出てきたのですが、日本の場合、新左翼は外国から輸入された思想ではなかった。外国から輸入された思想はむしろ旧左翼のほうであって、それを批判する新左翼は、日本の中の学生運動から生まれたのです。一九五八年には、共産党の学生組織のメンバーを中心に、共産主義者同盟（ブント）が結成されました。ブントは本質的に「学生運動」でした。年齢的に上の人もいたし、労働組合の人もいたが、根本的に学生組織なのです。

私は一九六〇年四月に東京大学に入りました。それは日米安保条約の改定をめぐる闘争の最中でした。これは、近代日本において最初の、そしておそらく最後の大きな大衆運動でした。私は大学に入るとすぐにデモに行きました。また、まもなくブント（共産主義者同盟）に加入しました。といっても、そのことをまったく意識しなかった。学生運動とブントの区別がなかったからです。

一九五九年から始まった安保闘争を急激に盛り上げたのは、学生運動が起こした、一つの事件です。それは一一月二七日に起こった、国会構内集会という事件です。今回の台湾の立法院占拠のニュースを聞いて、私が思い起こしたのはこの事件です。

もちろん、それまでも大きなデモがありました。ただ、それは型どおりの請願デモでした。その場合、「国民共闘会議」という名の下に、学生から労働者・市民にいたるまでが一緒にやっていました。学生はその先頭に立っていた。一〇万人のデモであれば、最初の一万人が学生です。ところが、一一月二七日のデモはそれまでと違った。先頭の学生グループが、国会に近づいたとき、ふだん通るコースから急にはずれて、国会正門のほうに向かった。警備体制がほとんどなかったから、そのまま構内に入ったのです。のみならず、社会党と共産党、全グループが街宣カーとともに、国会構内に入った。そして、そこで、意気揚々と、集会を開いた。国会議員らが国会構内で演説をしたのです。

この前代未聞の事件が大ニュースになったのは当然です。安保闘争のことが、初めて全国津々浦々に伝わったわけですから。しかし、一方で、翌日から、国会やメディアで、非難囂々（ごうごう）となった。その結果、社会党は自己批判し、共産党はトロツキストにだまされた、と弁解した。日本で学生運動、あるいは、「全学連」が社会的に注目されるようになったのは、このときからです。また、日本で、革命党としての共産党の権威が失墜してしまったのも、このときからです。共産党はこれ以後、次の選挙を気にしてひたすら穏健な方針をとるようになりました。

しかし、あの国会構内集会は、まったく非暴力的に実現されたのです。実際、国会議員らが大勢、そこで演説したのだから。そのあと、警察に追われた学生運動のリーダーが二人、東大の駒場寮に逃げ込んだので、大学に機動隊が入るか否かをめぐって、大騒ぎが二週間続いた。実は、私はこのとき、現場にいたわけではありません。私は関西にいて、高校三年、受験勉強中の身でした。このニュースを見て、羨ましかった。だから、翌年の四月に上京すると、すぐにデモに行きました。大学の入学式にはバカバカしいので行かなかった。

私はあとで、この国会構内集会は、リーダーらが密かに計画したものだということを、当事者たちから聞きました。しかし、それがうまく行ったのはむしろ、偶然です。たとえば、社会党や共産党の議員らがそれを拒否すれば、成立しなかったはずです。学生だけなら簡単に排除されたでしょうし。

ただ、この事件は、当然、一定の代価を支払うことになりました。

このあと、国民共闘会議のような、多数の組織の連合ができなくなった。学生と労働者・市民の運動が分離されてしまった。さらに、国会周辺での警備が厳しくなった。ただ、国会周辺のデモがもう一度盛り上がったことがあります。一九六〇年五月、新安保条約が衆議院で強行裁決されてから、それが最終的に通過するまでの一ヵ月間です。そのとき、再び学生運動と労働者・市民の運動が合流した。そして、それが最後です。以来、二〇一二年にいたるまで、巨大な国会デモは絶えてなかった。

(3) なぜ学生運動は衰退していったのか

安保闘争は敗北に終わった。岸内閣は倒れたが、安保条約の改定は阻止できなかったからです。そのあと、ブント（共産主義者同盟）の内部では、この敗北をめぐって、三つの派に分かれて、論争が始まった。どの派も、ブントがプチブル急進主義でしかなかったことをそれぞれ批判しました。そして、ブントを解散し、レーニン主義的原則に立つ前衛党を形成すると決めたのです。

私はそれに反対しました。学生運動でいいではないか、といった。「学生」といっても、別に、厳密な資格は必要ではない。そのような所属を超えて普遍的に考え行動する者は、誰でも学生である。そして、一九六一年に、「社会主義学生同盟」を再建するマニフェストを書きました。一九歳のときです。以来、私の姿勢はさほど変わっていません。

一九六〇年代は、こうして、ブント内部の三つの派による新左翼運動が主流となったのですが、大衆運動あるいは学生運動は鎮静していました。しかし、六〇年代後半から学生運動が起こってきた。各大学に、自治会とは別に、学生評議会が生まれた。それが全学共闘会議（全共闘）と呼ばれるものです。

一般に、この運動は、六〇年の運動の続きだと考えられています。なぜなら、六〇年の後に生まれた新左翼党派がそれをもたらしたと、考えられているからです。しかし、そうではありません。全共闘はむしろ、新左翼とは別のところから始まったのです。もともと学生運動があった大学では、新左翼が強かった。が、大衆的な運動は起こらなかった。それが起こったのは、従来学生運動がなかったようなところ、したがって、旧左翼も新左翼もあまりいなかったところです。それは、戦後、武井昭夫が全学連を組織したころ、その圏外にあったような大学です。

最初は、慶応大学で、授業料値上げの反対から運動が盛り上がった。慶応は一般に金持ちの子弟が行くと思われていたので、授業料値上げに反対する運動が盛り上がったことが世間を驚かした。もう一つの例は、日本大学で、大学の経営不正に抗議して、大きな闘争が始まった。ここの学生は左翼運動と縁が無いと思われていたから、世間を驚かした。もちろん、そこにも新左翼のリーダーが少しはいたでしょうが、彼らが運動を作り出したとはいえない。それは自然発生的に生じたのです。たとえば、日大の学生は最初、校歌を歌っていた。左翼運動の歌など知らなかったのです。

しかし、このあと、学園闘争が衰退してくると、六〇年に起こったのと似たようなことが起こりました。学生運動は拡大・発展しているときはいいのですが、停滞し始めると、熱心な活動家しか残らない。いいかえれば、新左翼党派しか残らなくなる。そして、彼らは、もっと過激な闘争、党的な結束が必要だと主張する。学生運動のプチブル性を批判し、よりプロレタリア的・レーニン主義的、あるいは毛沢東主義的な党組織をつくることを唱える。そのようにして、全共闘運動は、新左翼諸派に解体・吸収されていったのです。

たとえば、毛沢東主義を唱える連合赤軍のようなものが出てきた。これは、新左翼とはいうけれども、共産党主流派が一九五〇年初期にやっていたことを復活させるものです。山村ゲリラによる革命戦争をやろうというわけですから。以後、日本から、「学生運動」は消えてしまった。デモに行くのも危なくなったからです。その結果、学生運動だけでなく、市民運動も衰退してしまった。

(4) 大学の変容と、学生運動の労働運動化

ふりかえってみると、一九六〇年の学生運動と六八年の学生運動には、むろん類似性はありますが、大きな違いがあります。それは何よりも、「学生」が違うということです。六〇年では、武井昭夫の「層としての学生運動」という理論がまだ生きていました。それは、学生がまだエリートであり、ノブレス・オブリージュという意識が強かったからです。しかし、六八年では違います。高度経済成長の結果、大学の進学率が倍増し、大学および学生の数が激増しました。学園闘争が生まれたのは、そのためです。

このように見ると、六〇年から六八年の間に、学生という存在が大きく変容したことは明らかです。ここで、疑問が生じます。六〇年までは、「層としての学生」という考えが成立したが、それは、まだ学生が少数のエリートだった時期に妥当する考えであって、学生が数多くなり大衆と違わないような存在となったとき、無効となるのではないか。確かにそうなのですが、私は「学生」を一定の層として見る考えは、今も有効であると考えています。

先にいったように、一九六八年の欧米でもステューデント・パワーと呼ばれるものが出てきたのですが、これも初めての現象でした。その結果、フランスやイタリアでは、それまで強かった共産党の

権威が失墜した。日本で一九六〇年に起こったことが、そこでは六八年に起こったのです。しかも、それをもたらしたのが「学生運動」であった。それまで、左翼運動はいつも労働運動を中心にしていました。たとえ学生が重要な役割を果たしていても、それは学生運動ではなかった。ところが、六八年では、学生運動が、逆に、労働者・市民の運動に影響を与えたのです。

これは何を意味するのか。ヨーロッパで学生運動が前面に出たのは、日本と同様に、大学生の数が増えたということが大きいと思います。しかし、大きいのは、たんに数だけではなく、「学生」という存在が質的に違ってきたことです。大学は、真理を探究するという建前もなくして、もっぱら商品としての労働力を養成する場になった。それはまた、労働者階級も変わってきたということと切り離せないでしょう。たとえば、知的労働に携わる人たちが増大した。その意味で、学生と労働者、学生運動と労働運動を峻別することができなくなったのです。

六八年では、学生運動は学園（キャンパス）を中心とする闘争でした。一見すると、それは、労働運動などと結びつかない。しかし、実は、学園闘争は労働争議のようなものになったのではないでしょうか。大学は事実上、労働力商品を生産する工場のようなものとなってきた。学生がそれに対して闘うのは、工場で労働者が闘争するのと同じようなものです。学生運動と労働運動の差は、本質的にない。この意味で、六八年に代表される学園闘争は、今日の状況を先取りするものだといえます。

(5) 消費者＝労働者＝学生運動

ここで、私はあらためて「学生運動」について考えたい。それは武井昭夫の「層としての学生」のとらえ方とは違います。すでに述べたように、労働者と学生の区別は不要となった。あるいは、こういってもいい。学生が、労働者と区別できないものになった、と。今や、われわれは、旧であれ新であれ、左翼運動に強固に残る、労働者、市民、学生などといった区別を、疑う必要があります。さらに、労働運動と消費者運動の区別を疑う必要もある。

マルクス主義者は、資本主義を打倒するために労働運動が根本的であると考えてきました。私はその考えに反対ではありません。しかし、問題は、生産点での労働運動が、ますます困難になってきたことです。一つには、資本の側からの逆襲があります。日本ではたとえば、一九八〇年代に、国鉄が民営化された。これは、何よりも最大の組合を解体するためでした。実際、一九六〇年の安保闘争では、ゼネストで全国の交通機関がすべて止まったのですが、そんなことは二度とできないでしょう。他の労働組合も弱体化されました。その結果、労働組合に支えられてきた社会党が、一九九六年には消滅してしまった。

もう一つの理由は、ITの発展をふくむ、生産過程の変化によるものです。労働者は生産点で分散されていて、互いに出会うことも難しくなった。したがって、労働組合の組織率は著しく低下しました。他方で、六〇年代以来、市民＝消費者の運動、さまざまなマイノリティの運動が盛んになった。そこで、労働運動は古い、という声が出てきた。しかし、私はそのような考えにも反対です。そもそも労働者でないような市民、消費者がいるだろうか。いるとしても、数少ないはずです。であれば、市民・消費者の運動は、事実上、違ったかたちをとった労働運動だ、というべきではないか。

たとえば、マルクスは、資本の蓄積（M－C－M'）は、資本が生産点で労働者から剰余価値を搾取することによってなされると考えた、と見なされていますが、それは、彼以前のリカード左派がいっていた考えにすぎません。マルクスの考えはすこし違うのです。たとえば、『グルントリセ』（『経済学批判要綱』）では、こういっています。剰余価値はたんなる生産過程ではなく、労働者が生産したものを彼ら自身が消費者として買い戻す過程によって実現される、と。

もし生産物が売れなかったら、剰余価値もありえない。その場合、賃金労働者が生産した物を買う消費者のほとんどは、賃金労働者とその家族です。したがって、消費者とは、労働者が自分らの作ったものを買い戻す過程に立つときにあらわれる姿にほかならない。ゆえに、消費者の運動は、実際は労働者の運動である。そして、それらは分離できないし、分離してはならないのです。

この点に関して、私は一九九〇年代ニューヨークに住んでいたとき、sweat shop（労働者を酷使する店）の前で、ボイコットを呼びかける運動を見て感銘を受けました。労働者は店の中で黙々と働いていた。もし彼らが何かをしたら、ただちに解雇されるだろうから。では、そのような労働者に代わって、外から店に抗議することは、消費者運動だろうか。むしろ、それは労働運動だというべきです。実際、このとき黙っている労働者は、休日には、よその店の前で、ボイコットを呼びかける運動をすることがありうる。要するに、闘いやすい時と所で、闘えばよいのです。したがって、消費者運動と労働運動を分けるべきではない。それらが結びつくときに強力になる、といえます。

また、消費者運動と労働運動を分けるべきではないと同様に、学生運動と労働運動も分けるべきではない、と私は考えます。学生とは、労働者が学生として存在する一局面にほかならない。ゆえに、学生運動は労働者の運動です。たとえば、労働者ができないことを、代わりに学生が行なってもよい。これは学生が労働者のために闘うということとは違います。それはいわば、労働者が学生として闘う、ということにほかならない。繰り返しますが、闘いやすいところで、闘えばよいのです。このように考えることで、新たな闘争が可能になると思います。

さらにいうと、私はかつて『NAM原理』で、超出的闘争と内在的闘争を区別しました。内在的闘争とは、資本主義経済の内部で闘うことです。労働組合あるいは政治的闘争がその一例です。超出的闘争とは、資本主義的でない経済を自分たちで作りだすということです。協同組合や地域通貨がその一例です。通常、これら二つの運動は別のものとされ、分離されています。しかし、それらは相互補完的なものであり、同時に、行なうことができる。また、そうすべきなのです。

（台湾・新竹交通大学での講演、二〇一四年一一月一二日）

付録

New
Associationist
Manifesto

NAMの原理

A……序論

資本と国家を揚棄することを課題とする運動はすでに二世紀に近い歴史をもっている。それはユートピア社会主義と呼ばれたり、共産主義と呼ばれたり、アナーキズムと呼ばれたりした。しかし、二〇世紀の末に、それらが最終的に無惨な結果に終わったことを認めなければならない。もちろん、資本主義のイデオローグが何といおうと、資本と国家が存続するかぎり、それらに対抗する運動が不可避的に生じる。だが、それが真に新しく、有効な運動であるためには、過去の革命運動への根本的な反省が不可欠である。たんなる修正や弥縫によって、社会主義運動が回復されるはずがないし、されるべきでもない。

資本と国家。これらは本来的に、別々のもので、それぞれ別の原理、簡単にいえば、資本は交換の原理に、国家は奪取と再分配の原理に根ざしている。絶対主義王権国家の段階で、それらが結合された。国家は自らを強化するために、資本制経済の発展を必要とし、他方、資本制経済は、すべての生産を資本制化することができないし、逆に、資本主義化しえない生産（たとえば、人間と自然の生産）に依拠するがゆえに、国家を必要とする。産業資本主義と国家のブルジョア革命ののちに、それらは不可分離に癒着した。しかし、それらが原理的に別のものであり、それぞれ自律性をもっていることを忘れてはならない。

したがって、われわれは、資本への対抗と国家への対抗を、つねに同時的に考えておかねばならない。エンゲルス以後のマルクス主義者は、資本主義を克服するために、国家権力をもってしようとした。そのことは暴力革命を通してであれ、議会制を通してであれ、同じことである。彼らが国家固有の「力」に対して鈍感であったことは、否定しようがない。一方、ユートピア社会主義者、アナーキストは、国家の「力」に対してすぐれて敏感であったにもかかわらず、資本制経済の「力」について鈍感であった。彼らは国家さえなくなれば、民衆の自発的な能力によってアソシエーション的な社会が形成されると考えていた。マルクス主義者は資本制経済の「力」に対して、国家権力によって立ち向かおうとし、その結果、それ自体が国家権力に転化してしまった。しかし、国家に依拠せず、資本に対抗することがいかにして可能だろうか。アナーキストは、マルクス主義を集権主義として非難するだけで、また、多くの場合美学的な超越を夢想するだけで、この問いに答えていない。そうであるかぎり、アナーキズムは暗黙に、あるいは逆説的に、資本主義を肯定するものにとどまるだろう。

アナーキズムが社会主義の理念に関して罪なきものであったことは確かである。しかし、それはつねに無力であったからである。その無力をマルクス主義者の専横のせいにすることはできない。なぜつねに無力であったかについての反省がなければならない。われわれのいうアソシエーショニズムは、根本的にユートピアニズムとアナーキズムに由来するものであるがゆえに、なおさら、その批判が不可欠である。資本と国家への対抗の論理は、依然として、マルクスとバクーニンがいた時点の問題を深く検討するところにしか見いだしえない。彼らの死後、一九世紀末に成立した社会民主主義には、その可能性がまったく失われている。

現在、いわゆるマルクス主義の崩壊後に支配的になったのはそれが実際にどう呼ばれているかは別にしても、社会民主主義である。それは、資本主義的市場経済をそのままにしておいて、それがもたらす不平等や矛盾を、代議制民主主義を通して、国家的な規制と再分配によって解決していこうとする考えである。ここでは、資本と国家を揚棄するという理念がまったく失われている。それはすでに一九世紀末にベルンシュタインが主張していたことの再版にすぎない。しかも、第一次大戦が示したように、国内における社会民主主義は、外に対して、国家主義的・覇権主義的であることと何ら矛盾しない。現在は世界的に、社会民主主義が支配的であるが、それ自身の無惨な過去を検討することがないならば、同じことを繰り返すに決まっている。われわれは、この方向に、資本と国家を揚棄する運動の回復を見いだすことはできない。社会民主主義が支配的となるのは、それが資本と国家が延命するために必要だからにすぎない。

一方、現在、NPOや地域通貨、教育制度の自由化などが国家の手で推進されている。それは、アソシエーショニズムの可能性を与えるかのように見える。しかし、それが国家によって推進されるのは、資本主義のグローバリゼーションの結果、国家が地域経済や社会福祉や教育の負担を削減するために、それらを民間に任せようとしているからである。したがって、こうした非資本制経済が拡大してやがて資本主義的市場経済にとって代わるだろうというような期待は、幻想である。また、それが国家を希薄化すると考えることもまちがっている。これらはむしろ、資本と国家が生き延びるためにとる方策だからである。とはいえ、われわれは、このような変化を国家と資本への対抗の手段として活用することができる。付け加えていえば、資本主義のグローバリゼーションに対して、ナショナルあるいは地域的な経済や文化を保護しようとする運動が反射的に起こっている。それは反資本主義的な動機をもっている。しかし、それはわれわれが考える資本と国家への対抗とは異質である。資本と国家への対抗を考える者が陥りやすい罠は、閉鎖的な共同体への回帰を志向することである。真のアソシエーションは、一度、伝統的な共同体の靭帯から切れた個人によってしか形成されない。したがって、資本と国家への対抗は、同時に伝統的共同体への対抗を含むものでなければならない。

かくして、われわれはあらためて、資本と国家への対抗の論理を、根本的に考えなおさなければならない。たとえば、一九六八年以後、前衛党と労働者を優位におくハイアラーキカルな革命運動に対して、学生、女性、マイノリティ、消費者などの反システム運動（ウォーラーステイン）がとって代わった。これらは一面において、アナーキズム（アソシエーショニズム）の再生であるが、同時にそれがもっていた弱点を備えている。それは中央権力を斥けるあまりに、つねに離散的で断片的でしかありえなかった。それでは国家と資本に対する有効な対抗をなしえない。それらの運動のたんなる寄り集まりが資本と国家への対抗運動になることはありえない。われわれは、マイノリティ・女性・環境問題、その他の市民運動の課題を重視するが、それらの運動に資本制経済がもたらす生産関係、また、先進諸国と第三世界諸国との生産関係への認識が欠けていることを指摘しなければならない。これらの問題は、基本的にブルジョア革命の理念（人権）に含まれているから、近代国家も資本もそれに反対することはできない。しかし、たとえそれらが実現されても、資本制経済の生産関係は手つかずに残る。実際には、こうした運動は一定の成功を収めるとともに、インパクトを失い、今や、社会民主主義に帰着している。今重要なのは、資本と国家の揚棄に関して、いかに明瞭な見通しをもつか、そして、そうした多様で分散的な運動をいかに統合するかということである。New Associationist Movement は、そのような課題に挑戦する。

B……NAMのプログラム

われわれが開始する New Associationist Movement（NAM）は、一九世紀以来の社会主義運動総体の歴史的経験の検証にもとづいている。そのプログラムは、極めて簡単で、次の五条に要約される。これらに関して合意があれば、それ以後の活動はすべて、各個人の創意工夫に負う。

(1)
NAMは、倫理的‐経済的な運動である。カントの言葉をもじっていえば、倫理なき経済はブラインドであり、経済なき倫理は空虚であるがゆえに。

(2)
NAMは、資本と国家への対抗運動を組織する。それはトランスナショナルな「消費者としての労働者」の運動である。それは資本制経済の内側と外側でなされる。もちろん、資本制経済の外部に立つことはできない。ゆえに、外側とは、非資本制的な生産と消費のアソシエーションを組織するということ、内側とは、資本への対抗の場を、流通（消費）過程におくということを意味する。

（3）

ＮＡＭは「非暴力的」である。それはいわゆる暴力革命を否定するだけでなく、議会による国家権力の獲得とその行使を志向しないという意味である。なぜなら、ＮＡＭが目指すのは、国家権力によっては廃棄することができないような、資本制貨幣経済の廃棄であり、国家そのものの廃棄であるから。

（4）

ＮＡＭは、その組織形態自体において、この運動が実現すべきものを体現する。すなわち、それは選挙のみならず、くじ引きを導入することによって、代表制の官僚的固定化を阻み、参加的民主主義を保証する。

（5）

ＮＡＭは、現実の矛盾を止揚する現実的な運動であり、それは現実的な諸前提から生まれる。いいかえれば、それは、情報資本主義的段階への移行がもたらす社会的諸矛盾を、他方でそれがもたらした社会的諸能力によって超えることである。したがって、この運動には、歴史的な経験の吟味と同時に、未知のものへの創造的な挑戦が不可欠である。

C……NAMの組織原則

（1）

一定数以上のメンバーがいれば、NAM＊＊（地域名ほか随意）と名乗ることができる。それは組織的にも財政的にも独立したものである。しかし、各人は必ず、少なくとも三つのカテゴリーに所属することが必要である。それは、第一に、地域（外国も含む）による区分である。第二に、現在の職業などの社会的階層（学生、サラリーマン、主婦、中小企業経営者、文筆業など）による区分である。第三に、各人の関心対象による区分である。どのカテゴリーも、それ自体アソシエーションとして自律的である。しかし、同時に、メンバー各人は別のカテゴリーにも属する。

個人の交差的な多次元的所属は、地域的、あるいは、階層的な区分などによって、閉鎖的・排他的になることを避けるために不可欠である。市民運動の多くは、それぞれ、一つの課題・主題によって成立し、それによって閉じられている。もちろん、それらが自律的であることは必要である。それらの運動は、多くの他の次元を追加したり、別の次元に従属するならば、その次元の固有性を失ってしまうからである。しかし、個人は、他の次元にも属することによって、その閉鎖的な界域を出ることができる。同じことが地域系や階層系についていいえる。地域は生活単位として自律性をもつべきである。だが、それと同時に、個人は、他の次元に属することで、その外に出るべきである。

別の観点から見れば、関心系も階層系も、物理的な地域空間ではないが、位相空間として「地域」であるといってよい。NAMはThink globally, act locallyというようなスローガンをわざわざ唱えないが、組織原則においてそれを実現する。ＮＡＭは先ず日本において始められる。しかし、これは根本的にトランスナショナルな組織であって、空間的に限定されるものではない。ＮＡＭがグローバルなアソシエーションとなったとしても、以上に述べた原理は不変である。そのとき、「日本」は一つの地域と見なされる。諸個人は一定の地域に属すると同時に、関心系などの位相においてグローバルな「地域」に属している。ＮＡＭは、このような多元的「地域」からなるリゾーム的アソシエーションであって、国際連合や「インターナショナル」のように国家を単位とするものと異なっており、また、たんなる諸個人の国際的ネットワークとも違っている。

以下に、関心対象による区分を示す。これらは、資本制経済における内在的な対抗運動と、超出的な対抗運動に大別することができる。むろん、ここに列挙した区分は一例にすぎず、会員の関心によっていつでも変更可能である。

（ａ）内在的な対抗運動に関して
環境　労働運動　消費者運動　福祉　出版　メディア　マイノリティ　フェミニズム　レズビアン・ゲイ……

（ｂ）超出的な対抗運動に関して
生産・消費協同組合　ＬＥＴＳ　企業組合　ＮＰＯ　フリー・スクール　第三世界援助……

（2）

地域はそれぞれ事務局をもち、代表者をもつ。むろん、地域系だけでなく、関心系、階層系もまた同様である。ただし、一つの代表者は、他の区分の代表者を兼ねることはできない。地域・関心・階層のすべての代表者たちで構成するのが、「アソシエーションのアソシエーション」としてのセンター（代表者評議会）である。さらに、「センター」においても、代表者が選出される。どのレベルでも、代表者は、無記名投票（三名連記）で三人を選んだ後、くじ引きによって決められる。残りを副代表とする。代表者の任期は二年とするが、その間に要求があればリコールされる。

センター代表者評議会は、センター事務局をもつ。事務局長は評議会によって選ばれる。それらと別に、監査委員会をおく。監査委員会は、センターの経理、運営を監査し、全員に報告する。また、各支部、あるいはその間での、対立やリコールなどに対して公平に対処する。監査委員は、各代表や事務局長を経験した者の中から選ばれる。

会員のほかに賛助会員がいる。賛助会員は、大会や通信に参加し自由に発言することができる。ただし、代表選出などの決定には参加できない。

（3）

NAMは秘密をもたない。ゆえに、重要な議題や争点がすべてのメンバーに知らされる。

NAMは、その内部において、LETS（地域交換取引制度）方式の地域通貨を使用する。NAM会員・賛助会員の献金、労働、サービスの提供に対しては、LETSの通貨（nam）で支払われる。このことは、ボランティア的な活動を、たんに一方的贈与・自己犠牲的な奉仕としてでなく、自主的で開かれた互酬的交換として見なすことである。NAMは、この意味でも、倫理的-経済的な運動である。同時に、内部においてLETSを採用するのは、それを狭義の物理的な地域における通貨にとどまらず、関心系としての「地域」における通貨として普及させるためである。

D……プログラム解説

（1）

社会主義はその出発点において倫理的であった。それはたんに経済的な平等や豊かさを追求するものではなかった。「倫理的」であるとは、国家や共同体が強いる他律的な道徳とは逆である。それは、カントが述べたように、自由な主体であること、そして、他者を手段としてのみならず同時に自由な主体として扱うことである。だが、そのことは、他者をたんに手段としてのみ扱う資本制経済を揚棄することなくしてありえない。かくして、社会主義は倫理的な課題として不可避的に出現したのである。もちろん、倫理だけによって資本主義を克服することはできない。しかし、われわれはむしろ、倫理的な契機をあらためて重視しなければならない。マルクス主義者にはそれが失われていたからである。

たとえば、マルクスは『資本論』の序文にこう記している。

《ひょっとしたら誤解されるかもしれないから、一言しておこう。私は資本家や土地所有者の姿をけっしてバラ色に描いていない。そしてここで問題になっているのは、経済的カテゴリーの人格化であるかぎりでの、一定の階級関係と利害関係の担い手であるかぎりでの人間にすぎない。経済的社会構成の発展を「自然史的」過程としてとらえる私の立場は、他のどの立場にもまして、個人を諸関係に責任あるものとはしない。個人は、主観的にはどれほど諸関係を超越していようと、社会的にはやはり諸関係の所産なのである》。

マルクスは資本主義をたんに道徳的に非難したりはしなかった。しかし、われわれは、ここにこそマルクスの倫理性を見なければならない。倫理は、「主観的に諸関係を超越した」かのような態度においてあるのではない。それはこうした関係構造を廃棄しようとする態度にこそある。資本と賃労働のような「自然史的」な構造は、放っておけば、けっして解消されない。われわれの倫理的な介入がなければ、資本制経済は永続するのだ。社会主義は自然史的必然ではなく、倫理的問題なのである。

ところで、この場合、他者は、生きている他者だけでなく、死者、そしてまだ生まれていない未来の他者をも含まなければならない。現在の資本制経済がこのまま続けば、地球温暖化など通して、早晩「人類」の危機を招来することは疑いない。もしわれわれが生きている者たちの公共的合意によって、現在の「幸福」のために彼らを犠牲にするのであれば、それは他者を自由な主体としてでなくたんに手段として扱うことである。倫理的であろうとするなら、資本のとめどない蓄積運動を制止しなければならない。ゆえに、われわれの運動は政治的‐経済的である。だが、われわれが人類の危機を止めるために何かをするのは、けっして未来の他者のためではなく、われわれ自身の「自由」のためである。その意味で、われわれの運動は根本的に、倫理的である。

NAMは諸個人のアソシエーションであり、個人の倫理性に根ざしている。というより、倫理性は個人の問題である。国家はいうまでもなく、反国家的組織であろうと、階級的組織であろうと、「組織」には倫理性はない。諸個人はさまざまな組織（官庁、会社、組合、市民運動団体、政治団体、村落共同体など）に属している。NAMは、それらと並び立つような組織ではない。NAMに参加することは、それらの組織を離脱して、新たな組織に属することではない。NAMは、現実に組織の中に属しながら、同時に、倫理的であろうとする諸個人のアソシエーションである。いいかえれば、NAMの運動とは組織に閉ざされた人たちをアソシエートすることである。

NAMが新たな運動を始める、というべきではない。資本制経済の現実的展開の中から、すでに、それに対抗するさまざまな運動が生じている。NAMの役割は、相互に孤立し対立しさえするさまざまな運動や組織をアソシエートする媒体となることであり、それを担うのは諸個人である。NAMの会員は、あらゆる組織がアソシエーショニズムの理念に沿った形態になるように運動するだろうが、そのことは、それらの組織をNAMの下におくことを意味しない。たとえば、ある組織のメンバーが全員NAMに入っているとしても、それはNAMとは別である。また、ある組織がNAMと無関係であっても、その組織形態や理念がNAM的であるならば、それは歓迎すべきことである。われわれが目指すのは、たんにNAMの組織的拡大ではなく、NAM的なものの拡大であるから。

（2）

市場経済という語は現在、それが資本の活動であることを隠蔽するために用いられている。資本とは、M（貨幣）－C（商品）－M'という運動であるが、それは裏面において、C－MやM'－Cという交換である。市場経済は価格の調整において効率的であるというとき、その背後に、資本の運動が隠されてしまうのである。正確にいえば、資本制市場経済と市場経済一般とは区別されるべきである。資本制市場経済の廃棄は、市場経済あるいは貨幣の廃棄ではない。たとえば、消費－生産協同組合のグローバルなネットワークは、自給自足的な共同体への回帰ではなく、「自由な独立生産者」のために開かれた市場経済である。そして、その際、貨幣は、利子をもたず、資本に転化しない地域通貨（LETS）のようなものになるだろう。しかし、これはある段階、つまり国家権力をとった段階で、実現されるべき事柄ではない。資本制経済の中で、それに対抗しつつ成長すべきものである。ポランニーは、資本制市場経済を、共同体と共同体の間に発生した寄生的存在が共同体を侵食するという意味で、ガンにたとえたが、NAMの運動はいわば対抗ガン的なものである。すなわち、それは、資本制経済につきまとい、いつのまにか、それを侵食してしまうというような運動である。

資本制の欲動（ドライブ）は、資本が存続すること、いいかえれば、自己増殖的であることにある。資本主義は、けっして止むことのない自己増殖運動である。それがいかに無駄で有害なことをもたらすことがわかっていても、止むことはない。それは人々の考え方が変わっても、国家によって管理しても、終わることはない。資本主義は欲望の産物ではなく、欲望こそ資本主義によって喚起されたものだ。にもかかわらず、資本は剰余価値を獲得することができなければ終焉するほかない。NAMは資本制を「打倒」したりはしない。たんに、それが静かに死滅するようにするだけである。

マルクス主義者は、一般に、資本制経済を封建的支配の欺瞞的変形として見てきた。つまり、資本は労働者から剰余労働を騙しとるのだ、と。しかし、これはマルクス以前のリカード派社会主義者（チャーチスト運動）の考えにすぎない。マルクスが重視したのは、資本が本質的に商人資本であること、すなわち、空間的な価値体系の差額から剰余価値が得られるということである。一方、産業資本が得るのは、技術革新によって時間的に新たな価値体系を創出することから得られる「相対的剰余価値」である。かくして資本はたえず技術革新を迫られる。とはいえ、そのことは、産業資本が商人資本のように空間的な差異から剰余価値を得ることを妨げるものではない。たとえば、資本はより安い労働力を求めて海外に移動する。要するに、産業資本が獲得する剰余価値は、総体としての労働者が作ったものを労働者が買いもどすことによる差額である。したがって、剰余価値は、個別的企業あるいは個別的国家だけで考えることはできない。それは世界資本主義における総剰余価値として考えられなければならない。ゆえに、剰余価値は、個別的な企業あるいは個別国家のレベルにおいて不可視であり、ブラック・ボックスの中にある。ひとが経験的に知るのは利潤のみである。

資本と賃労働という関係は、主人と奴隷の関係とは根本的に違っている。それは、貨幣形態（一般的等価形態）と商品形態（相対的価値形態）におかれた諸個人がとる関係である。資本は貨幣－商品－貨幣（M－C－M'）という運動としてのみ存在する。つまり、資本はたえず「変態」することによってのみ自己増殖する。この運動において、資本は主体的（能動的）である。ところが、資本はこの過程において、一度は、相対的価値形態、つまり売る立場に立たざるをえない。そして、ここに、労働者が能動的な主体としてあらわれる場（ポジション）がある。それは資本制生産による生産物が売られる場、つまり、「消費」の場である。マルクスはいう。

《資本を支配（隷属）関係から区別するのは、まさに、労働者が消費者および交換価値措定者として資本に相対するのであり、貨幣所持者の形態、貨幣の形態で流通の単純な起点――流通の無限に多くの起点の一つ――になる、ということなのであって、ここでは労働者の労働者としての規定性が消し去られるのである》(『経済学草稿』第二巻、三五頁)。

資本にとって、消費は、剰余価値が最終的に実現される場であり、消費者(労働者)の意志に従属させられる唯一の場である。

売りと買い、あるいは、生産と消費は貨幣経済において分離している。この分離が、労働者と消費者を切り離し、あたかも企業と消費者が経済主体であるかのように見えさせている。また、それは労働運動と消費者運動を分離させている。労働運動が形骸化するにつれて、消費者運動はさまざまな形で盛り上がってきた。それは環境保護、フェミニズム、マイノリティなどの運動を含んでいる。一般に、それらは「市民運動」という形をとっており、労働運動とのつながりをもたないか、否定的である。しかし、消費者運動は、実は立場を換えた労働者の運動なのであり、またそのかぎりで重要なのだ。逆に、労働運動は消費者の運動であるかぎりにおいて、その局地的な限界を超えて普遍的となりうる。労働力の再生産としての消費過程は、育児・教育・娯楽・地域活動を含めて広範囲に及ぶからである。しかし、われわれがいうのは、グラムシが示唆したような再生産過程――家庭、学校、教会といった文化的イデオロギー的装置――の重視なのではない。労働力の再生産過程を、資本が自己実現するために通過せねばならない流通過程として、そして、そこにおいて労働者が主体的であるような場としてとらえなおすことなのだ。

そこで、われわれは、資本制経済における階級関係(資本家と賃労働者)を領主と農奴との関係の変形として見てきたマルクス主義の主要な流れを批判しなければならない。その考えでは、資本制経済において、封建制において明瞭だった剰余労働の搾取が隠蔽されている、また、「主人と奴隷の弁証法」によって、労働者が資本家を打倒する、ということになる。そして、にもかかわらず労働者が一向に立ちあがらないだけでなく、逆に社会主義革命に敵対しさえするのは、彼らの意識が商品経済によって「物象化」されているからであり、資本家と同じように考えているからだ。ゆえに、そのような物象化から労働者を覚醒させることが知識人＝前衛の任務だということになる。この物象化は、消費社会の誘惑や、文化的ヘゲモニーによる操作によって生じる。ゆえに、それを批判的に解明することがマルクス主義者の任務だということになる。というより、マルクス主義者にはもうそれしか仕事が残っていないように見える。フレドリック・ジェイムソンのいう「マルクス主義の文化論的転回」は、そのような「絶望」の形態である。しかし、その根底には依然として生産過程中心主義的な「希望」が潜んでいることに注意すべきである。他方、労働運動中心主義を否定するさまざまな市民運動には、資本主義的生産関係に踏み込む視点が欠けている。結局、それは「市場経済」を肯定しながら、それのもたらす弊害を、さまざまな国家的レギュレーションや富の再分配によって解決しようとする「社会民主主義」の中に収斂されてしまう。

しかし、資本制経済の無窮の運動を止めるには、二つの方法がある。一つは、資本制経済における内在的な闘争である。もう一つは、非資本制的な市場経済（生産－消費協同組合と地域通貨）を拡大することである。われわれはこれを超出的な闘争と呼ぶ。資本のM－C－M'という運動において、資本が出会う二つの危機的契機（モメント）がある。それは、労働力商品を買うことと、労働者に生産物を売ることである。もしこのいずれかにおいて失敗するならば、資本は剰余価値を獲得できない、いいかえれば、資本たりえない。労働者はこの二つの場において、資本に対抗しうる。一つは、アントニオ・ネグリがいったように、「働くな」ということだ。むろん、それは「労働力を売るな（資本制の下で賃労働をするな）」ということでなければ、意味をなさない。もう一つは、マハトマ・ガンジーがいったように、「資本制生産物を買うな」ということである。それらは、労働者が「主体」となりうる場（ポジション）においてなされる。しかし、労働者＝消費者にとって、「働かないこと」と「買わないこと」を可能にするためには、同時に、働いたり買うことができる受け皿がなければならない。それこそ、生産－消費協同組合にほかならない。したがって、超出的な闘争（生産－消費協同組合や地域通貨経済の形成）は、資本制経済における内在的な闘争にとって不可欠である。逆に、後者（不買運動を中心とする内在的闘争）は、資本制企業を非資本制的企業形態に組み替えていくことを促すだろう。NAMは、内在的闘争と超出的な闘争を、同時的に組織するものである。

繰り返すが、これまでマルクス主義者の間では、資本制経済への闘争は、労働者のストライキによる権力奪取が中心であると考えられてきた。しかし、われわれが「消費者としての労働者」の運動を重視するのは、けっして労働運動が衰退したからではない。資本制経済において剰余価値の搾取がブラック・ボックスにおいてなされるとするならば、それに対する対抗もまた、ブラック・ボックスにおいてなされるほかない。この原理は、現在や将来においてだけでなく、過去に関しても妥当する。一九世紀末に、ベルンシュタインやカウツキーの議会主義に対して、ローザ・ルクセンブルクやレーニンが労働者の政治的ゼネストと蜂起を中心とする戦術を唱えた。しかし、それらはいずれも帝国主義戦争を阻止することさえできなかった。実は、国家の戦争を阻止できる力が労働者階級にあるならば、それは敗戦のどさくさによってもたらされた政治的革命（ロシア革命）などより、社会革命としてははるかに進んでいるのだ。だが、「もし」ということが許されるなら、このとき、命を賭けた、それゆえに困難な政治的ストライキのかわりに、労働者が通常どおり働き、かつ、資本制の生産物――どの国のものであれ――を買わないという運動を行なったとすれば、どうだろうか。このこと

(general boycott)が第二インターナショナルの下で各国で同時に行なわれたなら、資本や国家はなすすべがなかったはずである。要するに、一九世紀末以来のマルクス主義の運動を総括するとき、われわれはその誤謬が資本制経済と国家への無理解にあったと結論することができる。その経験を踏まえることによってのみ、新たなトランスナショナルなアソシエーショニストの運動が可能となるだろう。

ただ、ここで、グラムシに関して、一言述べておく必要がある。彼は機動戦、陣地戦、地下戦というような戦争形態の比喩で語った。その場合、機動戦とは、政治的国家と直接的に戦い権力を掌握することであり、陣地戦とは、政治的国家の統治装置の背後にある市民社会のヘゲモニー的な支配装置と戦うことである。彼はロシア革命において通用したことが市民社会の成熟した西欧において通用しないことを次のように指摘している。

《東方では、国家がすべてであり、市民社会は原生的でゼラチン状であった。西方では、国家と市民社会の間に適正な関係があり、国家がぐらつくと、たちまち市民社会の頑丈な構造が姿を見せた。国家は第一線塹壕にすぎず、そのうしろには要塞と砲台の頑丈な系列があった》(『新君主論』「陣地戦と機動戦——トロツキー論」)。

このような「陣地戦」の考えは、現在、文化的批判に向かう人びとの根拠となっている。だが、この「陣地戦」はたんに文化的ヘゲモニーへの闘争を意味するものではありえない。ここで興味深いのは、グラムシが、マハトマ・ガンジーの消極的闘争を高く評価し、それを「陣地戦」と呼んでいることである。

《ガンジーの消極的抵抗はある時点で運動戦となり、またある時点で地下戦ともなるところの陣地戦である。ボイコットは陣地戦であり、ストライキは運動戦であり、武器と戦闘員の内密の準備は地下戦である》(『新君主論』「政治闘争と軍事闘争」)。

すなわち、彼はボイコットにこそ「陣地戦」の精髄を見いだしていたのである。

さらに、グラムシは「機動戦」から「陣地戦」への移行がすでに一九世紀後半にあったといっている。

《この点では、ヨーロッパでは一八四八年以降に生じ、他の若干の人びとはそれを理解したのに対し、マッツィーニやその一派は理解しなかったこと、すなわち、「機動戦」から「陣地戦」への政治闘争の移行という問題――同様の移行は一八七一年以降、その他の場合にも生じている――を考察しなければならないことは明らかである》(『新君主論』「受動的革命の概念」)。

一八四八年革命以後「機動戦」から「陣地戦」への移行があったということは、すでに『資本論』が書かれた時期において、労働者階級の闘争が生産過程中心から流通過程中心へ、つまりストライキからボイコットへ移行したこと、そして多くの人びとがそれを理解しなかったということを示唆している。機動戦から陣地戦への移行は、他のどこよりもイギリスにおいて、リカード左派にもとづくチャーチスト運動が終わった時点で顕著にあらわれていたのだ。たとえば、一八五〇年代にはすでに労働組合が合法化され、普通選挙が実現されていた。したがって、『資本論』はこの意味での「陣地戦」のための論理を与えるものとして読まれるべきである。

(3)
いわゆるマルクス主義者は、経済的なものが土台的下部構造で、国家やネーションは上部構造であるという見方をしてきた。その場合、上部構造には相対的な自律性があり、それ自体の形式を探るべきだという批判がなされたりもした。しかし、そのような「史的唯物論」の見方は、少しもマルクス的ではない。たとえば、資本主義的経済は下部構造であろうか。貨幣や信用の世界は、経済的というよりも、宗教的な幻想的な構造ではないのか。われわれは今もそれにふりまわされている。逆にいえば、国家やネーションも宗教的な幻想であるとしても、それらが不可避的に存在するのは、資本と同じように、現実的に不可避的な基盤があるからではないのか。したがって、それをたんに幻想だといっても、けっしてそれを解消できないのである。

そもそも上部構造・下部構造という言い方は、マルクスが『経済学批判』の序文で述べた一節からきているだけで、マルクスは特にそれを強調したわけではないし、それは彼の主著である『資本論』から見れば、大した認識ではない。史的唯物論は、エンゲルスがマルクスより早くもっていた認識であり、後に、マルクス死後、エンゲルスがマルクスが最初にそれをいったと主張したために、「マルクス主義」の核心ということになっただけである。もしそのようなものがマルクス主義なら、マルクスがいなくても、マルクス主義は成立したといえる。しかし、『資本論』のような作品は絶対に、マルクスなしに存在しなかった。史的唯物論は、資本制経済以前の歴史を、資本制経済が実現したものから遡行的に理解するものであって、マルクスの言葉でいえば、「人間の解剖は猿の解剖に役立つ」ということである。資本主義社会はそれ以前の歴史を経済的な視点から見ることを可能にするが、その逆に、後者によっては、資本主義を理解することはできない。資本としての貨幣は、国家やネーションと同じく、共同的な幻想であり、同時に、この上なく、現実的なものである。

普通、資本主義的な経済構造があり、その上部構造として、国家やネーションがあると考えられるが、資本と国家とネーションは、それぞれ違った「交換」の原理にもとづくものだと考えられるべきである。それらが区別されないのは、ブルジョア的な近代国家において、それらがトリニティ（三位一体）になっているからである。先ず、それらの「交換」の原理を区別するところから始めよう。マルクスは、交易は共同体と共同体の間での交換から始まる、といっている（『資本論』）。しかし、その前に、違ったタイプの交換があることに注意すべきである。

第一に、共同体のなかの交換である。これは贈与－お返しという互酬的交換であって、これは相互扶助的だが、お返しに応じなければ村八分になるというふうに、共同体の拘束が強くあり、また、排他的なものである。

第二のタイプは、強奪することである。むしろ、交換は、互いに強奪することを断念するところから始まる。しかし、強奪も交換の一種と見なしてよい。というのは、持続的に強奪するためには、相手を別の敵から保護したり、産業を育成したりする必要があるからだ。それが国家の原型である。国家は、より多く収奪し続けるために、再分配によって、その土地と労働力の再生産を保証し、灌漑などの公共事業によって農業的生産力を上げようとする。その結果、国家は収奪の機関とは見えないで、むしろ、農民は領主の保護に対するお返しとして年貢を払うかのように考える。ゆえに、国家は一面において、超階級的で、「理性的」であるかのように表象される。したがって、収奪と再分配も「交換」の一種なのである。人間の関係に暴力の可能性があるかぎり、このような形態は不可避的である。

第三に、マルクスのいうように、共同体と共同体の間での交易がある。この交換は、相互の合意によるものである。しかし、それはすでに国家と法が存在するところでしかありえない。ところで、すでに述べたように、この交換には剰余価値、すなわち資本が発生する。商人資本は古典経済学者が非難したような詐欺にもとづくものではない。価値体系の異なる地域の間での交換、たとえばある地点で安く買ったものを別の地点で高く売ったとしても、それぞれは等価交換なのに、差額（剰余価値）が発生する。産業資本も原理的には同じである。商人資本の場合は空間的な差異にもとづくが、産業資本における剰余価値は、時間的に、技術革新によって価値体系を変えてしまうことによる差額（相対的剰余価値）にもとづいている。つまり、それは「搾取」ではあるが、封建的国家における収奪と似ているように見えて、根本的に違う。しかし、交換（交易）が一見して等価交換であるにもかかわらず、不平等換あるいは富の不平等をもたらすこと、このことは事実によって示されている。

以上、交換には、この三つの型がある。（下図参照）実は、さらに、もう一つの交換のタイプがあり、それがわれわれのいうアソシエーションやＬＥＴＳである。それは、以上の三原理とは違った原理にもとづくものである。というのは、そこでの交換は、国家や資本と違って非搾取的であり、また、農業共同体と違って、その互酬性は、自発的であり、かつ非排他的（開放的）であるから。

ベネディクト・アンダーソンは、ネーション＝ステートが、本来異質であるネーションとステートの「結婚」であったといっている。これは大事な指摘であるが、その前に、やはり根本的に異質な二つのものの「結婚」があったことを忘れてはならない。国家と資本の「結婚」、であ

a 収奪と再分配	b 贈与の互酬性
c 貨幣による交換	d アソシエーション

a 封建国家	b 農業共同体
c 都市	d アソシエーション

a 国家	b ネーション
c 資本（市場経済）	d アソシエーション

a 平等	b 友愛
c 自由	d アソシエーション

る。国家、資本、ネーションは、封建時代においては、明瞭に区別されていた。すなわち、封建国家（領主、王、皇帝）、都市、そして、農業共同体である。それらは、異なった「交換」の原理にもとづいている。第一に、国家は、収奪と再分配の原理にもとづく。第二に、そのような国家機構によって支配され、相互に孤立した農業共同体は、その内部においては自律的であり、相互扶助的、互酬的交換を原理にしている。第三に、そうした共同体と共同体の「間」に、市場、すなわち都市が成立する。それは相互的合意による貨幣的交換である。封建的体制を崩壊させたのは、この資本主義的市場経済の浸透である。一方で、それは、絶対主義的王権国家を生み出す。それは、商人階級と結託し、多数の封建国家（貴族）を倒すことによって暴力を独占し、封建的支配（経済外的支配）を廃棄する。それこそ、国家と資本の「結婚」である。

そこでは、封建地代は国税となり、官僚と常備軍が国家的な装置となる。絶対主義王権の下で、それまでさまざまな部族や身分にあった人びとは、すべて王の臣下となることで、のちの国民的同一性の基盤を築く。商人資本（ブルジョアジー）は、この絶対主義的王権国家のなかで成長し、また、統一的な市場形成のために国民の同一性を形成した、ということができる。しかし、それだけでは、ナショナリズムの感情的基盤はできない。ネーションの基盤には、市場経済の浸透とともに、また、都市的な啓蒙主義とともに、解体されていった農業共同体がある。それまで、自律的で自給自足的であった各農業共同体は、貨幣経済の浸透によって解体されるとともに、その共同性（相互扶助や互酬性）を、ネーション（民族）のなかに想像的に回復するわけである。

アンダーソンは、宗教が衰退した後に、ネーションがその原理をはたすと指摘しているが、その場合、宗教が具体的に農業共同体としてあったことが重要である。宗教の衰退とは、共同体の衰退と同じことを指す。というのは、宗教はプロテスタンティズムのような形では、少しも衰退していないからだ。ネーションは、悟性的な（ホッブス的）国家と違って、農業共同体に根ざす相互扶助的「感情」に基盤をおいており、また、ナショナリズムにおいてそれが喚起される。同じ民族だから、助け合おうという、友愛の感情である。それが、いわば、国家とネーションの「結婚」である。もちろん、それは農業共同体と同様に排他的である。

しかし、それらが本当に「結婚」するのは、ブルジョア革命においてである。フランス革命で、自由、平等、友愛というトリニティ（三位一体）が唱えられたように、資本、国家、ネーションは切り離せないものとして統合される。だから、近代国家は、資本＝ネーション＝ステート（**capitalist-nation-state**）と呼ばれるべきである。それらは相互に補完し合い、補強し合うようになっている。たとえば、経済的に自由に振る舞い、そのことが階級的対立に帰結したとすれば、それを国民の相互扶助的な感情によって越え、国家によって規制し富を再分配する、というような具合である。その場合、資本主義だけを打倒しようとすると、国家的な管理を強化することになるし、あるいは、ネーションの感情に足をすくわれる。前者がスターリン主義で、後者がファシズムである。

この三つの「交換」原理のなかで、近代において、Cタイプの交換が深化し、他を圧倒したということができる。しかし、それは全面化することはできない。たとえば、それは家族を解体できないし、それに依存するほかない。また、農業などは資本主義化が完全にはできない。資本は、人間と自然の生産に関しては、家族や共同体に依拠するほかないし、非資本制生産を前提している。同様に、国家もまた、資本主義的市場経済によって消えるわけではない。むしろ、資本主義の危機（恐慌）において、国家が露骨に登場する。また、絶対主義的な王（主権者）は、ブルジョア革命によって消えるが、国家そのものは残る。それは、国民主権による代表者＝政府に解消されてしまうものではない。国家はつねに他の国家に対して主権者として存在するのであって、したがって、その危機（戦争）においては、強力な指導者（決断する主体）が要請される。ボナパルティズムやファシズムにおいてそうであったように。

現在、資本主義のグローバリゼーションによって、国民国家が解体されるだろうという見通しが語られることがある。しかし、ステートやネーションがそれによって消滅することはない。たとえば、資本主義のグローバリゼーション（新自由主義）によって、各国の経済が圧迫されると、国家による保護（再分配）を求め、また、ナショナルな文化的同一性や地域経済の保護といったものに向かう。資本への対抗が、同時に国家とネーション（共同体）への対抗でなければならない理由がここにある。資本＝ネーション＝ステートは、三位一体であるがゆえに、強力なのである。そのどれかを否定しようとしても、結局、この環のなかに回収されてしまうほかない。それは、それらがたんなる幻想ではなくて、それぞれ異なった「交換」原理に根ざしているからである。アソシエーションによる交換がそれらにとって代わらないかぎり、いかなる啓蒙主義的批判によっても、それは消えない。

先に述べたように、グラムシは、ロシアでは国家がすべてであり、市民社会は原生的でゼラチン状であったのに、西欧では市民社会が成熟しているということ、ゆえに、その戦略を「機動戦」から「陣地戦」に変えなければならないということを指摘した。しかし、この市民社会の成熟とは、むしろ、資本＝ネーション＝ステートが確立しているかどうかで見られるべきである。イタリアにおいて、グラムシが指導したレーニン主義的な工場占拠の闘争がファシストによって粉砕されたのは、後者がナショナリズムに訴えたからである。一方、ロシアでは、国家、資本、ネーションは統合されていなかった。つまり、そこでは、戦争は皇帝のためのもので、ネーションのためのものではなかったから、むしろ、社会主義革命がナショナリズムを喚起しえたのである。また、多くの「社会主義」国の場合、革命は民族独立解放と同じであった。そこでは、国家機構や資本は植民地統治勢力と結託していたので、ナショナリズムを喚起したのは社会主義者であった。だが、これらの「成功」例は、資本＝ネーション＝ステートの三位一体が確立された後に、それにどう対抗するかを教えない。

ブルジョア革命は暴力革命であった。それは絶対主義的な専制体制に対して国家権力を奪うことであったから。ブルジョア革命（民主的国民国家形成）は、世界的には、その名はどうであれ、また、その担い手が誰であれ、今も続いている。先進国の人間が、そこにある「暴力」を非難するのは、不当である。しかし、ブルジョア革命以後の革命、つまり、全面化した資本制と国民国家を止揚する「革命」は、もはや国家権力を握って社会を変えるというようなブルジョア革命的なものではありえない。ゆえに、われわれは「革命」というかわりに、これを「対抗」（カウンターアクト）と呼ぶことにする。

マルクスは、最も先進国であるイギリスでこそ社会主義革命が可能であると考えていた。なぜなら、社会主義はブルジョア社会が発展した「段階」でのみ可能なのだから。にもかかわらず、それは起こりそうもなかった。普通選挙制が確立され労働組合が強いところで、かえって革命は遠のいたように見えた。しかし、このとき遠のいたのは、ブルジョア革命に由来する「革命」であって、それとは異質な革命の概念が必要になってきたのである。マルクスが『資本論』に取り組んだのがそのような状況においてであったことを忘れてはならない。資本主義への単なる批判ではどうにもならないという認識が、かくも厖大な書物に彼を取り組ませたのである。この点で、グラムシがいったことは注目に値する。彼の考えでは、「機動戦」から「陣地戦」への移行はすでに一九世紀後半にあった。《この点では、ヨーロッパでは一八四八年以降に生じ、他の若干の人びとはそれを理解したのに対し、マッツィーニやその一派は理解しなかったこと、すなわち、「機動戦」から「陣地戦」への政治闘争の移行という問題――同様の移行は一八七一年以降、その他の場合にも生じている――を考察しなければならないことは明らかである》(『新君主論』「受動的革命の概念」)。

一八四八年革命以後「機動戦」から「陣地戦」への移行があったということは、すでに『資本論』が書かれた時期において、労働者階級の闘争が生産過程中心から流通過程中心、つまりストライキからボイコットへ移行したこと、そして多くの人びとがそれを理解しなかったということを示唆している。

機動戦から陣地戦への移行は、他のどこよりもイギリスにおいて、リカード派社会主義者によるチャーチスト運動が終わった時点で顕著にあらわれていたのだ。たとえば、一八五〇年代にはすでに労働組合が合法化され、普通選挙が実施されていた。したがって、『資本論』はこの意味での「陣地戦」のための論理を与えるものとして読まれるべきである。

高度にブルジョア化した社会において、社会主義革命はいかにして可能か。この問いに、マルクスは直接に答えていない。しかし、彼が『資本論』において、それに直面していたことは確実である。マルクスの死後、エンゲルスは、ドイツにおける社会民主党の躍進とともに、議会による革命が可能であると考えるようになった。だが、これは根本的にブルジョア革命(暴力革命)の延長である。議会制によろうと、国家権力の行使はそれ自体暴力的である。なぜなら、国家権力は根本的に独占された暴力にもとづいているからだ。マックス・ウェーバーは次のようにいっている。

《国家とは、ある一定の領域の内部で、正当な物理的暴力行使の独占を（実効的に）要求する人間共同体である》（『職業としての政治』）。

強制でなくて同意によろうと、権力の行使は暴力にもとづいている。だから、ウェーバーは、政治に関わる者は、「すべての暴力の中に潜む悪魔の力と関係を結ぶのだ」といっている。この意味で、社会民主主義は less violent ではあろうが、non-violent ではない。それは、議会制の多数決原理によって掌握した国家権力によって、資本から課税によって収奪したものを労働者に再分配することをめざす。二〇世紀になって以来、マルクス主義はいわば、カウツキー派（社会民主主義）とレーニン派に分かれた。しかし、極端な自由主義者ハイエクのような観点から見れば、それらの差異は見かけほど大きくはない。一方はソフトな国家主義であり、他方はハードな国家主義である。いずれも国家権力に訴えるがゆえに「暴力的」である。そして、いずれも、「労働力商品」つまり賃労働の廃棄を目指していない。しかし、それらは後期マルクスの考えと根本的に無縁である。

エンゲルスの弟子であったベルンシュタインは、エンゲルスにまだ残っていた「革命」幻想の残滓を取り除いた。レーニンやローザ・ルクセンブルクがそれを批判したことはいうまでもない。彼らはまた、社会主義革命が、資本主義経済が発展しブルジョア的な市民社会が確立した段階でのみ可能であるという考えを否定し、そのような段階の「飛び越え」が可能であると主張した。しかし、問題は、先進国でのみ革命が可能だということではなく、むしろそこではもはや、古典的な革命――ブルジョア革命を継承する形態――が不可能となったということなのである。ゆえに、そこで、旧来とは違った考えが不可欠になる。エンゲルスらの変化もそこからきたのだ。しかし、ロシア革命の成功は、その問題を考えることを遅れさせた。

後進国では、革命はむしろ容易である。というのは、実のところ、それはブルジョア革命の変型にすぎないからだ。二〇世紀における社会主義革命の多くが、「民族独立・解放」、すなわち、ネーション=ステートそのものの確立をめざしていたこと、それゆえにまた、成功したことを見ればよい。だから、問題は、それ以後に「飛び越え」が可能かどうか、である。この問題に関して、最も早く鋭い洞察をもっていたのは、トロツキーであった。一九〇五年の第一次ロシア革命のあとに、彼は段階の「飛び越え」は可能である、と考えた。なぜなら、後進国においては、ブルジョア市民社会は脆弱で、国家権力を打倒すればよかったから。しかし、彼は、同時に、「飛び越え」は不可能であるとも考えた。権力をもった労働者階級の政府は、資本の手でなされた「原始的蓄積」（農民収奪）を自らやらねばならず、そのような体制を保持するためには、絶対主義的な独裁体制を強行することになるだろうから。彼はこのパラドックスを「永続革命」によって乗り越えることができると考えたが、実際の事態は、彼自身の予見を二つとも証明した。

先進国の左翼は、後進国の革命に特徴的な英雄的暴力性を賞賛し、羨望し、模倣さえしたが、自らに固有な困難に取り組まなかった。また、彼らは、後進国における革命を、市場の封鎖によって先進国の資本を追いつめるという観点から重視した。しかし、実際には、そのような封鎖は、社会主義的国家を経済的に停滞させただけで、世界資本主義の発展を阻止する力にはならなかった。そして、皮肉にも、飛び越えたはずの「ブルジョア革命」がそこに起こった。その結果、左翼は、一世紀を経て、ベルンシュタイン的観点に立ち帰ったのである。いうまでもなく、それは資本と国家を揚棄するという課題をまったく見うしなっている。そして、そのような社会民主主義はかつて帝国主義戦争を止めえなかったばかりか、その熱狂のなかに呑みこまれたように、今後においてそのような可能性をもっている。にもかかわらず、もはやそれをレーニン主義的に批判することはできない。では、それ以外のオールタナティヴはないだろうか。それを、マルクスと別のところに求める試みは、ありふれており、かつ、つねに欺瞞的である。それは、マルクスが革命の可能性がますます色あせたイギリスにとどまって専念していた『資本論』に求められねばならない。すでに述べたように、資本＝ネーション＝ステートは、人間の「交換」がとる必然的な形態に根ざしている。容易に、この環を出ることはできない。マルクスがその出口を見いだしたのは、第四の交換のタイプ、すなわち、アソシエーションにおいてである。

マルクスは、『ドイツ・イデオロギー』において、エンゲルスの書いた文章に、次のように書き加えている。

《共産主義とは、われわれにとって成就されるべきなんらかの状態、現実がそれに向けて形成されるべきなんらかの理想ではない。われわれは、現状を止揚する現実の運動を、共産主義と名づけている。この運動の諸条件は、いま現にある前提から生ずる》。

マルクスはこの姿勢を貫徹している。そして、その二〇年後に、彼は幾つかの「現状を止揚する現実の運動」に、共産主義の可能性を見いだしている。それは生産と消費の協同組合である。マルクスは、株式会社を、「資本主義的生産様式そのものの限界内での、私的所有としての資本の廃止」として見た（『資本論』第三巻5－27）。なぜなら、株式会社は、資本と経営の分離によって、それまでの「資本家」を消滅させるからである。しかし、株式会社は資本制の「消極的な揚棄」にすぎない。彼は、労働者が株主であるような生産協同組合にその「積極的な揚棄」を見いだす。

《資本主義的生産様式から生ずる資本主義的取得様式は、したがって、資本主義的私有は、自分の労働にもとづく個人的な私有の第一の否定である。だが、資本主義的生産は、一つの自然過程の必然性をもって、それ自身の否定を生み出す。それは否定の否定である。この否定は、私有を再建しないが、おそらく資本主義時代の成果を基礎とする個人的所有をつくりだす。すなわち、協業と、土地や労働そのものによって生産される生産手段の共同所有とを基礎とする、個人的所有をつくりだす》(『資本論』第一巻7－24)。

マルクスが私的所有と個人的所有を区別したのは、何を意味するのか。近代的な私有権は、それに対して租税を払うということを代償に、絶対主義王権国家によって与えられたものだ。私有はむしろ国有なのであり、逆に、国有こそ私有財産制にもとづくのである。それゆえに、私有財産の廃止＝国有化と見なすことはまったくまちがっている。逆に、私有財産の廃棄は国家の廃棄でなければならない。マルクスにとって、コミュニズムが新たな「個人的所有」の確立を意味したのは、彼がコミュニズムを生産協同組合のアソシエーションとして見ていたからである。そこでは賃労働(労働力商品)が廃棄されている。ところが、生産協同組合や消費協同組合は、共産主義を国有化による計画経済と思いこんだマルクス主義者によって軽視されてきた。基本的に、それらはロバート・オーウェンのようなユートピアンによって構想されたものであり、幾度も挫折しながら、一八五〇年代以後のイギリスで現実に隆盛してきた運動である。マルクスはこれらを否定しなかっただけでなく、「自由で平等な生産者のアソシエーション」にこそコミュニズムを見いだしたのである。

実際、マルクスは次のように書いている。

《もし連合した協同組合組織諸団体(united co-operative societies)が共同のプランにもとづいて全国的生産を調整し、かくてそれを諸団体のコントロールの下におき、資本制生産の宿命である不断の無政府と周期的変動を終えさせるとすれば、諸君、それは共産主義、〝可能なる〟共産主義以外の何であろう》(『フランスの内乱』)。

コミュニズムとは、資本制経済において貨幣との交換によって実現される「社会的」諸関係を、「自由で平等な生産者たちのアソシエーション」、さらに諸アソシエーションのグローバルなアソシエーションに転換しようとするものである。それは根本的に「倫理的」である。いいかえれば、「他者の人格における人間性を手段としてのみならず、同時に目的としても扱う」(カント)ことを目指している。そして、この要素がないならば、コミュニズムはコミュナリズム(共同体主義)かコレクティヴィズム(集産主義)にしかならない。通常、コミュニズムは、プロレタリアートが国家権力を奪い、私有財産を国有化し、全生産を中央の統制下に置くことと見なされている。確かに、それは「資本制生産の不断の無政府と周期的変動」をとりのぞくことができるとしても、「自由で平等な生産者のアソシエーション」とはほど遠い。

しかし、今ここで重要なのは、通念に反して、マルクスがコミュニズムをアソシエーショニズムに見いだしていたということを指摘することではない。むしろ、彼がアソシエーショニズムの限界と困難を見ていたことを指摘することである。それが彼の態度を両義的にしたのだし、また、マルクス主義者が一般に消費‐生産協同組合を軽視した理由でもある。その限界とは、消費‐生産協同組合が資本との競争の下に置かれていることである。それらは局所的(資本制をとりにくい生産領域)に成立するか、自ら株式会社になってしまうか、または資本との競争に敗れて崩壊してしまう。したがって、マルクスは「国家権力を生産者自身に移す」ことが不可欠だと考えた。これに関して、バクーニンはマルクスをラッサールと並べて批判した。

《これがラッサールの綱領であり、これが社会民主党の綱領である。それは元来がマルクスのものであり、マルクスは一八四八年に彼とエンゲルスとで公刊した有名な『共産党宣言』の中で、これを完全に述べている。――ラッサールの綱領は、彼がその師と認めているマルクスの綱領と少しもちがっていないことは、明らかではないか》（『国家と無政府』）。

しかし、これは無理解でなければ、意図的な中傷である。バクーニンは六〇年代から七〇年代にかけての、マルクスの認識をあえて無視している。

マルクスは、ラッサールがいうような、国家によって生産協同組合を保護育成する考え（ゴータ綱領）を批判した。

《労働者たちが協同組合的生産を社会的規模で、最初は自国で、したがって国民的規模で生み出そうとするということは、彼らが今日の生産諸条件の変革に努力しているということにほかならず、国家援助による協同組合諸団体の設立となんの共通性もない。現行の協同組合諸団体についていえば、それらが政府からもブルジョアからも後援されない労働者の独立の創設物であるかぎりで価値を有しているのだ》（『ゴータ綱領批判』）。

要するに、マルクスは国家によって協同組合を育成するのではなく、協同組合のアソシエーションが国家にとって代わるべきだといっているのである。そのとき、資本と国家は揚棄されるだろう。そして、そのような原理的考察以外に、彼は未来について何も語っていない。

それに関して興味深いのは、消費‐生産協同組合に関するカール・シュミットの意見である。国家あるいは政治的な次元の自立性を強調した彼は、国際的な連合が国家を解消させることはけっしてないという。それは一国あるいは数ヵ国の覇権的支配に帰結するだけである。ナチに積極的に参加しながら、その超国家的な人種理論に反対して失脚するほどに国家主義者であったこの政治思想家は、しかし、国家の死滅に関して、次のような考察を残している。

《「世界国家」が、全地球・全人類を包括するばあいには、それはしたがって政治的単位ではなく、たんに慣用上から国家と呼ばれるにすぎない。(中略)それが、この範囲をこえてなお、文化的・世界観的その他なんであれ、「高次の」単位、ただし同時にあくまで非政治的な単位を形成しようとした場合には、それは、倫理と経済という両極間に中立点をさぐる消費‐生産協同組合であるだろう。国家も王国も帝国も、共和政も君主政も、貴族政も民主政も、保護も服従も、それとは無縁なのであって、それはおよそいかなる政治的性格をも捨て去ったものであるだろう》(『政治的なものの概念』田中浩・原田武雄訳、未來社)。

いいかえれば、シュミットも、消費‐生産協同組合以外に国家を揚棄する道はないといっているのである。その場合、国家は残るが、もはや政治的なものではない。それに加えて、われわれは次のようにいってよい。市場経済は残るが、それは現在、ひとが考えているような(資本主義的)市場経済とは似て非なるものであるだろう。資本制市場経済の廃棄によって、市場経済あるいは貨幣一般が廃棄されるのではない。消費‐生産協同組合とLETSによるグローバルなネットワークは、自給自足的な共同体への回帰ではなく、開かれた市場経済なのだ。

(4)
今日マルクス主義者は、マルクスの「プロレタリア独裁」という概念を否定するか、もしくはそれについて沈黙している。一九世紀末、ドイツの社会民主党が議会で躍進したとき、すでにエンゲルスは「プロレタリア独裁」を放棄している。のちに、レーニンがそれを復活させたが、それは党－官僚独裁に終わり、今やマルクス主義者は誰もそれについて言及しない。しかし、それは忘れられるべきどころか、積極的に再考さるべき問題である。「プロレタリア独裁」は、いうまでもなく「ブルジョア独裁」に対応する概念である。その場合、「ブルジョア独裁」は代表制（議会）民主主義を意味している。絶対主義的専制を打倒してできた民主的議会制が、すなわちブルジョア独裁である。であるなら、マルクスがいう「プロレタリア独裁」が、ブルジョア独裁以前の封建的専制や絶対主義的独裁のようなものに戻ることであるはずがない（事実はそうなってしまったが）。マルクスはパリ・コンミューンに「プロレタリア独裁」の具体的なイメージを見いだしている。パリ・コンミューンは、アナーキスト（プルードン派）によってなされたもので、いわゆる「マルクス主義的」ではない。しかし、マルクスがそれを高く評価したのは唐突ではない。それは初期マルクスの国家論の必然的な延長である。

マルクスはその仕事を、ヘーゲルの『法哲学』の批判から開始している。彼がそこに見いだしたのは、近代国家における市民社会と政治的国家、私人と公人の分離である。各人は、公人としては対等であるが、私人としては資本制経済のもたらす階級的生産関係に属している。そして、公人として、各人がもつのは立法権、というより、代表者を選ぶ参政権だけであって、行政権をもたない。たんに選挙に投票できるというだけが、「国民主権」の実体である。たとえば、民主主義国家において、企業や官庁のなかに民主主義があるかどうか考えてみればよい。それに対して、パリ・コンミューンは立法機関であると同時に行政機関であった。そこでは、すべての司法官と行政官僚を選挙するとともに解任できる制度があった。その意味で、これは近代国家における市民社会と政治的国家の二重性の揚棄である。

しかし、問題は、このことがいかにして永続的に保証されるかということにある。選挙やリコールを秘密投票によって行なう、というのは、一つのアイデアである。しかし、それによって官僚制化を阻むことはできない。官僚制は、分業の高度に発展した社会においては不可避的であり、マックス・ウェーバーがいったように、また不可欠でもある。それをただちに否定することはできない。マルクスは将来のコミュニズムにおいては分業がなくなると考えたが、それに向かう「過渡期」において、分業としての官僚制なしにすますことはできない。たとえば、ロシア革命のソヴィエト（労農評議会）もパリ・コンミューンと同じようなものであったが、なぜそれがまもなく党独裁、官僚支配になっていったのか。それをボルシェヴィキによる策動と裏切りということですますことはできない。敗戦後の経済的混乱の下で、彼らはどうしても官僚を必要としたのだ。パリ・コンミューンは二カ月で潰されたが、もし長続きしたとしたら、同じような結果に終わっただろう。

官僚制の弊害は、権力の固定化にある。しかし、官僚制や中央権力をたんに一般的に否定するのではなく、その弊害を避けるにはどうすればよいかを考えるべきである。くじ引き制の導入こそ、その解である。具体的にいえば、無記名選挙によって選んだ複数の候補者の中からくじ引きで代表者を選ぶというシステムである。これは、権力が集中する場に偶然性を導入することであり、それによってその固定化を阻止するものである。無記名投票による普通選挙、つまり議会制民主主義がブルジョア的な独裁であるとするならば、くじ引き制こそプロレタリアート独裁だ、というべきである。

ついでにいえば、代表制議会について、人びとはそれをアテネの民主主義から学んだと考えている。そして、アテネのような小規模の社会では直接的民主主義は可能だが、現代国家では代表制でしかやれない、と。しかし、直接か間接かという違いは、そんなところにはない。ギリシア民主主義と近代の代表制民主主義は根本的に異質である。近代の代表制議会は、もともと絶対主義国家の下で各階級の代表者会議として始まり、それがブルジョア革命とともに、限定選挙として拡大し、やがて「普通選挙」に発展したものである。モンテスキューが指摘したように、議会制は民主政に固有のものではなくて、むしろ王政や貴族政に固有のものだ。一方、アテネの民主政の本質は、議会制にではなく、行政官のくじ引き制に存するのである。ところで、アテネの議会では、独裁者（僭主）が出現することを防ぐために秘密投票が考案された。全員が参加する議会であっても、独裁者の出現を避けることができなかったからだ。秘密投票は稀であったが、重要な局面で実行された。近代のブルジョア民主主義は、無記名投票による代表制選挙と、それによる政権交代のルールに存するといわれている。だが、もしギリシア崇拝者が、「ブルジョア独裁」の起源がギリシアにあるというのであれば、それを乗り越えるべき「プロレタリア独裁」は、くじ引き制にあり、そして、それもギリシアの政治的技術に遡るといってもよいはずである。

とはいえ、全部をくじ引きで決めることは無意味であり、結局、それ自体が否定されてしまう結果になるだろう。たとえば、アテネでも、軍人はくじ引き制にもとづいていない。今日、くじ引きが採用されるのは、誰がやってもよく、そして誰もやりたがらないようなポストに関してのみである。それゆえ、われわれにとって望ましいのは、たとえば、無記名（連記）投票で三名を選び、その中から代表者をくじで選ぶというようなやり方である。そこでは、最後の段階が偶然性に左右されるため、派閥的な対立や後継者の争いは意味をなくす。その結果、最善でないにせよ、相対的に優れた代表者が選出されることになる。くじに通った者は自らの力を誇示することができず、くじに落ちた者も代表者への協力を拒む理由がない。このような政治的技術は、「すべての権力は堕落する」などという陳腐な省察とは違って、実際に効力がある。

われわれは、権力志向という「人間性」が変わることを前提すべきでなく、また、個々人の諸能力の差異がなくなることも想定すべきではない。ただ、それらが悪しき結果をもたらすのは、制度のためであり、あるいはそれに関する知の欠如のためである。権力の弊害は、権力の集中する場に偶然性（くじ引き制）を導入することによって回避しうる。そして、このことは別に、将来の課題ではない。現在の企業や官庁、その他の組織においても実現可能なことだ。企業などで多くの人びとが悩んでいるのは、賃金や労働時間よりも、労働現場における官僚的固定化なのである。

そして、これは、労働組合代表の経営参加によっても解消されない。労働組合そのものが官僚的だからである。たとえば、労働者の自主管理を実現した旧ユーゴスラヴィアにおいても、官僚制化は避けられなかった。一方、資本制企業であろうと、マネージメントが選挙とくじ引きによってなされるならば、労働者の自主管理なのである。それができないのは、株主の多数決支配があるからだ。一方、生産協同組合においては、経営に関して、株所有の多寡にかかわらず、決定権は各自対等である。にもかかわらず、ここでも、権力の固定化は避けられない。したがって、くじ引きの導入が不可欠である。

国家と資本に対抗する運動は、それ自身において、権力の集中する場に偶然性を導入するというシステムを導入していなければならない。そうでなければ、こうした運動は、それが対抗するものと似たようなものになるほかかない。

他方、集権主義的なピラミッド型組織を否定するところから始まった、さまざまな市民運動は、逆に、離散的で断片的なままの離合集散に留まっている。そして、結局、議会政党の票田となるだけである。そうであるかぎり、それらが資本と国家に対して、有効な対抗をなしうるとは思えない。しかるに、もしこのような政治的技術を導入すれば、中心化を少しも恐れる必要はない。NAMは、参加的民主主義の実現を目標とするだけでなく、その運動形態において、それを具現していなければならない。したがって、組織原則の項において明らかなように、NAMは、二つのシステムを採用する。一つが、代表選出のくじ引き制であり、もう一つが、個人の多次元的所属である。

（5）

資本制経済の発展段階は、重商主義、自由主義、帝国主義、後期資本主義、などといった諸段階として区別されている。このことを具体的に理解するためには、世界商品の交替という観点から見ればよい。たとえば、重商主義時代の世界商品は毛織物であり、自由主義時代のそれは綿製品であった。つまり、一九世紀前半まで世界を制覇した大英帝国を支えた資本制生産とは、繊維工業にほかならなかったのである。それは巨大資本を必要としない。マルクスは『資本論』において、株式会社と並んで競い合うものとして生産協同組合を考えていたが、それはまもなく急激に色あせてしまった。しかし、それはたんに株式会社に敗北したためではない。イギリスの株式会社もまた、重工業化の段階で、国家的な巨大資本にもとづくドイツとの競争において沈下していったのである。基本的に繊維産業が中心であった段階では、生産協同組合は株式会社にある程度拮抗できたのだ。この後、エンゲルスやドイツ社会民主党は、資本の巨大化をむしろ歓迎し、それを社会化（国有化）すればすなわち社会主義だと考えるようになったため、生産協同組合を軽視し始めた。

一九世紀後半の重工業段階への移行は、慢性的な不況と失業を生み出した。それは政治的には帝国主義をもたらし、第一次大戦において それが爆発した。第二次大戦はその延長として生じたが、同時に、一九三〇年代にそれ以前とは異質なものが生じたことを見落とすべきではない。それはファシズムであれニューディールであれ、国家が経済過程にケインズ主義的な介入を始めたことである。それは、世界商品という観点から見れば、耐久財（自動車・電気製品）への移行である。以来、大量生産・大量消費（フォーディズム）の時代が続いてきた。それが世界的に飽和点に達したのが一九八〇年代である。以後、資本は、狭義の生産過程における発展よりも、流通過程あるいはコミュニケーションの圧縮（デジタル化）によって剰余価値を確保することを目指すようになった。かくして、世界商品は、いわば「情報」に移行している。いわゆるデジタル化は、旧来の生産関係や産業構成における激烈な変化をもたらしている。とりわけ、旧来の生産関係が解体されるのは、これまで流通において中間搾取してきたギルド的な商業資本（取次、問屋、配給会社など）の分野においてである。生産者と消費者が直接的に交換し合うシステムがそれにとって代わる。このような変化が、大量の失業と労働の再編成を招来することは不可避的である。

　一九九〇年以後に生じているこのような変化は、その規模において、一八七〇年代以後における変化――七三年の世界恐慌以後の慢性不況、資本輸出、帝国主義への転化――に匹敵する。しかし、同時に、現在の変化は、その時期に形成されたプロシャ型の国家資本主義やコーポラティズムに代表されるような現代資本主義の形態をディコンストラクトするものである。「新自由主義」と呼ばれる事態は、その点で、経済的・軍事的にイギリスの圧倒的優位のもとにあった「自由主義」段階に類似するといってよい。たとえば、一八七〇年以後に重工業化＝巨大資本化が生じたとしたら、現在の「情報資本主義」への移行がもたらすのは、その逆に、国際的資本を別にして、国家的なコーポラティズムに依存した巨大企業の解体であり、（ベンチャー企業に見られるように）中小企業の興隆である。この場合、中小企業を協同組合やLETSを用いて、非資本制的なアソシエーションとして組織することが可能である。その意味で、現在はむしろ、マルクスがイギリスで生産協同組合に注目した時期に類似してきたといえる。

われわれは、世界資本主義の発展がもたらす状況に対して、楽観的ではないが、悲観的でもない。というのは、資本制経済の深化は、同時に、自らを滅ぼすための諸条件をつくりだすからである。この弁証法は、近年の例でいえば、インターネットに見いだせる。それは、冷戦時代にアメリカの軍事的な防衛策として生まれ、また、資本によって活用されている。だが、それは国家と資本に対抗する運動にとっても不可欠な手段である。New Associationist Movement は、根本的に、サイバースペースなしには不可能である。したがって、資本主義への対抗は、ロマン主義的な回帰やノスタルジーとは無縁であって、資本主義によって生じた世界的な交通の中でしかありえない。

（二〇〇一年）

［付］海外版への序文

NAMは、日本で展開されている一つの新たなアソシエーショニストの運動に付された固有名である。われわれは、資本主義＝ネーション＝ステートを揚棄する方向と諸原理を、可能なかぎり明らかにした。われわれは、海外諸地域の人たちがそれを検討することを願っている。そして、その名称は別として、新たなアソシエーショニストの運動が各国で起こることを切に期待している。なぜなら、この資本と国家への対抗運動はトランスナショナルでしかありえないからである。同時に、資本と国家への対抗運動は、それぞれの国家の中でなされるほかない。必然的に、それはそれぞれの歴史的な文脈によって異なってくる。ＮＡＭの現状は、多かれ少なかれ日本の状況に規定されている。にもかかわらず、われわれが提示する基本的原理は普遍的であると考えている。また、われわれは、徐々に、しかし、着実に拡大しつつあるＮＡＭの経験をすべて、資本と国家への対抗を志向する全世界の人たちに伝え、また、相互交流を通して、より豊かに、より具体的にしていきたいと願っている。

（二〇〇一年、ウェブで発表）

NAMの結成のために

最初に、NAMという名称について説明しておきたいと思います。New Associationist Movement（NAM）は、日本語でいえば、新連合主義運動というようなことになります。アソシエーショニズムは、オーウェンやプルードンのような初期社会主義者によって考えられたものです。それは特にプルードンによって「連合の原理」として、明確に理論化されています。日本では大正時代に、アナーキスト大杉栄が「連合主義」を唱えていました。この時期までは、「連合主義」という言葉は日本語として通用していたわけです。しかし、現在、連合主義といっても、よくわからないし、むしろ誤解されるでしょう。だから、私はこれをあえて日本語ではいわないことにしました。さらに、この運動は最初からトランスナショナルなものであって、外国人にもすぐにわかるようでなければならない。だから、NAMということにしたのです。もう一つ、余談ですが、NAMのことを聞いた坊さんが、それはわれわれにとってありがたい、といっていたそうです。南無阿弥陀仏や南無妙法蓮華経のナムだからです（笑）。もちろん、私は坊さんの参加を歓迎します。たとえば、スペインで少数民族バスク人が作ったモンドラゴンという生産協同組合は、今や、巨大な企業として、世界的に支部を広げていますが、これを始めたのは、カソリックの坊さんでした。仏教の坊さんが見習うべきことではありませんか。

要するに、アソシエーショニズムはアナーキズムにほかならないのです。しかし、われわれはアナーキストの運動を新たに始める、というわけではありません。マルクス主義と同様に、アナーキズムにも歴史があります。それらを厳密に吟味しなかったなら、われわれはNew Associationist Movementだということはできないのです。歴史的に、マルクス主義者とアナーキストはつねに対立してきました。しかし、それがマルクスの思想に由来するというのは、誤解にすぎません。ふつう、マルクスはアナーキズムと対立した集権主義者・国家主義者だとされていますが、そんなことはない。彼はアナーキズム（国家の揚棄）の理念を手放したことは一度もないのです。だから、晩年において、も、彼は国家によって生産協同組合を保護育成しようとするラッサール（国家社会主義者）に対して、次のようにいっています。

《労働者たちが協同組合的生産を社会的規模で、最初は自国で、したがって国民的規模で生みだそうとするということは、彼らが今日の生産諸条件の変革に努力しているということにほかならず、国家援助による協同組合諸団体の設立となんの共通性もない。現行の協同組合諸団体についていえば、それらが政府からもブルジョアからも後援されない労働者の独立の創設物であるかぎりで価値を有しているのだ》（『ゴーダ綱領批判』一八七五年）。

要するに、マルクスは国家によって協同組合を育成するのではなく、協同組合のアソシエーションが国家にとって代わるべきだといっているのです。そのとき、資本（賃労働）と政治的国家は揚棄されるだろう、と。そして、そのような原理的考察以外に、彼は未来について何も語っていません。そこがエンゲルスと決定的に違うところです。社会主義＝企業の国有化という考えは、エンゲルスのものです。また、マルクスが『資本論』でも生産協同組合を株式会社と並べて重視していたのに、エンゲルスは一貫して生産協同組合を軽視していました。

社会主義運動は、最初から、国家主義（バブーフ、サン・シモン、ルイ・ブラン、ラッサール）と、無政府主義（オーウェン、プルードン、バクーニン）の二つの系列に分かれています。そのなかで、マルクスは前者に属するのかといえば、そうではない。かといって、後者に属するのでもない。そして、そのどちらでもあるかのように見える。というのも、それは、マルクスが、国家社会主義者とアナーキストの両方に対して、カント的な批判（両方をとりあえず認めつつ、その限界を明らかにすること）をしたからなのです。同様に、われわれは、「新しいアソシエーショニズムの運動」というとき、旧来の集権主義的マルクス主義を批判するだけでなく、同時に、アナーキズム（アソシエーショニズム）をもまた「批判」しなければならないのです。

現在では、集権的マルクス主義は回復不能なまでに無力です。だから、それを批判したところで、もはや意味がない。ところが、一方で、アメリカでは近年、アナーキズムは「ファッショナブル」な現象として流行していますし、また、アナーキズムという名称を使わなくても、実はそれに類する思考が、現在の日本において流行っています。私はそれをたんに斥けるわけではない。むしろ、NAMの運動は、こうしたアナーキズムが、いかなる限界をもつかを見極めるところにこそ始まる、と考えてもらいたい。このように、二世紀にわたる社会主義運動の歴史的総括として、「NAMの原理」があるのです。

私たちの課題は、資本と国家を揚棄することです。しかし、一口にそういうだけでは、何も明らかになりません。資本主義に対抗するというのであれば、多くの運動が皆それを唱えています。ファシズムもそうであったからこそ、人を惹きつけたのです。資本主義に対抗する運動がすべて失敗に終わった結果、今日、世界的に支配的になったのは、社会民主主義です。もちろん、それが実際にどう呼ばれているかは別の話です。たとえば、それが文字通り社民党と呼ばれるところもあるが、民主党と呼ばれるところも、共産党と呼ばれているところもあるわけです。要するに、社会民主主義とは、議会制民主主義を通し、国家的な規制と再分配によって、資本主義的市場経済の弊害を克服するという考えです。もうこれ以外に方法はないと思っている人たちが多い。しかし、それでは、資本も国家も生き残るのです。というより、社会民主主義とは、資本と国家が生き延びるためにとり得る、唯一最後の形態なのです。

このような展望によって、二一世紀を考えるならば、誰でも暗澹とならざるを得ないでしょう。たとえば、現在その徴候が各地に現われていますが、地球の温暖化が二〇年後、三〇年後に破局的な結果をもたらすことはまちがいありません。それに対して、どうするのか。温暖化をもたらしているのは、化石資源の濫用と森林の伐採です。それを抑えたところで、実はもう遅いのですが、実際に、先進国に化石資源の濫用を抑え、後進国に森林伐採をやめさせるとなると、たちまち、資本・国家・ネーションという障害にぶつかります。多くの人びとが、循環的経済への切り換えというようなことを主張していますが、いざそれを実行するとなれば、資本・国家・ネーションの問題に直面せざるを得ないのです。

ここで、資本・国家・ネーションに対抗するために、なぜアソシエーショニズムが不可欠なのか、そのことを原理的に説明したいと思います。一般に、人びとは、資本主義的経済は下部構造で、国家やネーションはイデオロギー的上部構造だと考えています。もちろん、そういう言い方をしなくても同じようなものです、国家やネーションが経済的交換とは違った何かだと考えているのであれば。しかし、経済的交換は、国家やネーションと違って、何か実体的なものなのでしょうか。たとえば、初期マルクスは、国家は幻想的な共同性であるといい、ベネディクト・アンダーソンは、ネーションは「想像の共同体」である、といいました。それは確かですが、資本制経済もまた、信用にもとづく「想像の共同体」なのです。それは、人間の「交換」につきまとう、ある本質的な困難に根ざすものです。それがいかに幻想であろうと、容易に片づけられるものではない。同様に、ネーションや国家も、たんに資本制経済の上に存在する幻想なのではなくて、それぞれが「交換」に根ざしているものであり、それぞれの自律性と強制力をもっているのです。だから、それが幻想だ、表象だといったところで、容易に解消されない。

ここで、そのような「交換」の原型を区別することから始めます。たとえば、マルクスは、交易は共同体と共同体の間での交換から始まる、といっています。しかし、その前に、違ったタイプの交換があるのです。第一に、共同体のなかの交換です。これは贈与－お返しという互酬的交換です。これは相互扶助的ですが、お返しに応じなければ村八分になるような具合に共同体の拘束が強くあり、また、排他的なものです。第二のタイプは、強奪することです。何しろ、交換するより強奪した方が早いわけですから、これを交換と見なすのはおかしいように見えますが、持続的に強奪するためには、相手を別の敵から保護したり、産業を育成したりする必要があるわけです。それが国家の原型です。国家は、より多く収奪し続けるために、再分配によって、その土地と労働力の再生産を保証し、灌漑などの公共事業によって農業的生産力を上げようとします。その結果、国家は収奪の機関とは見えないで、むしろ、農民は領主の保護に対するお返しとして年貢を払うかのように考えます。それを笑うことはできない。今日では、納税する代わりに、国家が面倒を見てくれるのだと考えている人が多いのだから。ゆえに、国家は一面において、超階級的で、「理性的」であるかのように表象されます。儒教がそうですが、治世者の「悪」が説かれたりもするわけです。だから、収奪と再分配も「交換」というかたちになります。

第三に、マルクスのいうように、共同体と共同体の間での交易があります。この交換は、相互の合意によるものです。お互いに等価だと思ったときに、交換される。しかし、いうまでもなく、この交換には剰余価値、すなわち資本が発生します。商人資本は古典経済学者が非難したような詐欺にもとづくものではありません。価値体系の異なる地域の間での交換、たとえばある地点で安く買ったものを別の地点で高く売ったとしても、それぞれは等価交換なのに、差額（剰余価値）が発生します。産業資本も原理的には同じです。商人資本の場合は空間的な差異にもとづきますが、産業資本における剰余価値は、時間的に、技術革新によって価値体系を変えてしまうことによる差額（相対的剰余価値）にもとづいています。つまり、それは「搾取」ではありますが、封建的国家における収奪と似ているように見えて、根本的に違います。しかし、交換（交易）が一見して等価交換であるにもかかわらず、不等価交換あるいは富の不平等をもたらすこと、このことは事実において明らかです。

近代に至るまで、この三つの交換のタイプははっきり分かれていました。すなわち、封建国家（領主、王、皇帝）、都市、そして、農業共同体です。このような封建的体制を崩壊させたのは、都市、つまり、資本主義的市場経済の浸透です。一方で、それは、絶対主義的王権国家を生み出す。それは、商人階級と結託し、多数の封建国家（貴族あるいは大名）を倒すことによって租税と暴力を独占し、封建的支配（経済外的支配）を廃棄する。それまでさまざまな部族や身分にあった人びとは、絶対主義王権の下で、すべて王の臣下となることで、のちの国民的同一性の基盤を築く。商人資本（ブルジョアジー）は、この絶対主義的王権国家のなかで成長し、また、統一的な市場形成のために国民の同一性を形成したわけです。しかし、それだけでは、ナショナリズムの感情的基盤はできません。ネーションの基盤には、市場経済の浸透とともに、また、都市的な啓蒙主義とともに、解体されていった農業共同体があるのです。それまで、自律的で自給自足的であった各農業共同体は、貨幣経済の浸透によって解体されるとともに、その共同性（相互扶助や互酬制）を、ネーション（民族）のなかに想像的に回復するわけです。その意味で、まさに、「想像の共同体」なのです。

近代国家においては、異なる三つの交換原理の三位一体、すなわち、資本＝ネーション＝ステート（capital-nation-state）が形成されます。それらは相互に補完しあい、補強しあうようになっています。たとえば、経済的に自由に振る舞い、そのことが階級的対立に帰結したとすれば、それを国民の相互扶助的な感情によって超え、国家によって規制し富を再分配する、というような具合です。その場合、資本主義だけを打倒しようとすると、国家的な管理を強化することになるし、あるいは、ネーションの感情に足をすくわれる。前者がスターリン主義で、後者がファシズムです。資本主義のグローバリゼーションによって、国民国家が解体されるだろうという見通しが語られることがありますが、国家やネーションがそれによって消滅することはありません。たとえば、資本主義のグローバリゼーション（新自由主義）によって、各国の経済が圧迫されると、国家による保護（再分配）を求め、また、ナショナルな文化的同一性や地域経済の保護といったものに向かいます。資本への対抗が、同時に国家とネーション（共同体）への対抗でなければならない理由がここにあるのです。資本＝ネーション＝ステートは、三位一体であるがゆえに、強力です。そのどれかを否定しようとしても、結局、この環のなかに回収されてしまうほかない。それは、それらがたんなる幻想ではなくて、それぞれ異なった「交換」原理に根ざしているからです。

そこで、この三つの交換でないような交換の原理、つまり、アソシエーションによる交換が重要となってくるのです。つまり、諸個人の自由な契約にもとづき、相互扶助的だが排他的でない、貨幣を用いるがそれが資本に転化しないような、交換です。だから、この交換は倫理的－経済的なものです。このような交換原理をトランスナショナルに広げたときにのみ、三つの交換原理に根ざす資本＝ネーション＝ステートは、その基盤を失い、消滅するでしょう。もちろん、それは一挙にできるものではない。しかし、その道筋だけははっきりしています。そして、それはもはや表象の批判ではなく、実践の問題です。

こうしたアソシエーショニズムは、オーウェンやプルードン以来、さまざまな形で試みられたし、今も試みられています。しかし、歴史的には、アソシエーショニズムの運動はすべて失敗に終わっています。その原因は、私の考えでは、そこに資本主義経済に関する認識が欠けていたということです。われわれは、何といおうと、資本主義経済に属しているのであって、その外に立つことはできません。資本制経済は、たんに搾取や不正によって成り立つものではない。また、それは人間の欲望によって支えられているのでもない。それは、人の考えが変わったら終わるものではないし、悲惨な事態が起こったからといって終わるものでもない。それは、放っておけば、永続します。

ゆえに、資本に対する対抗がどうしても不可欠なのです。いうまでもなく、国家によって規制するという方法は無効です。では、どうすればよいのか。それには二つあります。一つは、資本制企業に対する闘争です。その場合、私は旧来のように、労働運動やストライキではなく、ボイコットを中心にすべきだと考えます。それはいわば消費者＝市民の運動です。しかし、実は、消費者＝市民とは、労働者が消費の過程に置かれたときに、つまり、買い手として現われたときにとる形態です。だから、消費者の運動とは、形を変えた労働運動なのであり、また、そのかぎりで意味があるのです。いずれにせよ、これは、資本制のなかでの闘争です。もう一つは、非資本制生産‐消費の形態を作り出すことです。

たとえば、NAMのプログラムの（2）に、《われわれは資本と国家への対抗運動を組織する。それはトランスナショナルな「消費者としての労働者」の運動である。それは資本制経済の内側と外側でなされる》という個所があります。これについて、西部氏から、「内」と「外」という表現は誤解を招く、表現としては「内在的」と「超出的」といういい方がいいのではないかという提案があり、それを採用しました。NAMの運動の特徴は、この二つを同時的に志向するということにあるのです。たとえば、「関心系」ということで、暫定的に幾つかの項目を並べていますが、それらは、基本的に二つに分けられると思います。資本主義のなかで「内在的」に対抗するものと、非資本的な交換形態、非資本的な生産と消費の形態を「超出的」に作り出すものに。これらは現に別々になされているわけですが、けっして分離されてはならないものだと思います。

すでに述べたように、「内在的」な対抗運動において大事なことは、ボイコット、すなわち、「買うな」ということ、あるいは「売るな」ということです。それが、NAMによる対抗運動の要になってくると思います。「買うな」というのは、「資本制の生産物を買うな」ということです。一方、「売るな」というのは「労働力を売るな＝賃労働をするな」ということです。しかし、そのためには働くところがなくてはならない。あるいは「資本制の生産物を買うな」というためには、別に買うところがなければならない。これらが同時になされなければ、両方とも無力になってしまいます。ただ、このつながりは理論的にはよくわかるのですが、実際にやっていくとわかりにくい。特に「超出的な対抗運動」の方がわかりにくいのです。それは具体的な問題だからです。私自身も今勉強しているところです。

たとえば、この後の講演で明らかになるように、LETSに関しては西部忠氏が取り組んでおられるし、クリエーターの生産協同組合に関しては朽木水氏が、生協に関しては高瀬幸途氏が取り組んでおられます。特に、生協の国際的な活動には非常に興味深いものがあります。NAMはけっして一国内の運動にとどまらない。根本的に、トランスナショナルなものですが、これはそのことの一例です。NAMはもっと多様な運動を含みます。が、とりあえず、こういう事例があることを知ってほしい。そして、皆さんの創意工夫で、それを多様化しアソシエートしていってほしいと思うのです。

私は、NAMの原理について、以前からある程度考えていました。しかし、NAM結成に至るプロセスで、いろいろと変わってきた。その痕跡はあちこちに見られます。私は昨年、西部忠氏たちと『可能なるコミュニズム』という本を出版しましたが、その時点ではまだはっきりしていなかったことが、ここにきて、かなりヴィジョンが明確になってきたと思っています。まだまだ不充分です。しかし、それは、私個人の力の及ぶところではない。「関心系」と名づけられた、個別的な関心領域のそれぞれに属する人たちが、われわれに教えてくれるでしょうから、それによって、もっとヴィジョンをはっきりとしていけるだろうと思っています。

私が最初から考えていたのは、NAMが拡大したときにどうしようか、ということです。ほとんど誇大妄想のように聞こえますが（笑）、本当です。私はアナーキストのように性善説をとりません。

また、人間性がそう変わるとも考えていない。だから、組織が大きくなったときに、今存在しないような権力の問題が出てくるだろう、そして、それに対して理論的に備えていないようなら、運動を始めるべきでない、と考えていました。この種の運動というものは、実は大きくなろうと考えているにもかかわらず、大きくなったときの用意が、まったくなされていない。だから、ほとんどの場合大きくならないけれども、いざ大きくなったときには悲惨な話になる。それは、世界各地の革命運動や政権を見ればわかります。たまたま、運良く大きくなっただけで、当然生じることに対して彼らが何の認識もなく用意もしていなかったということが歴史的に証明されています。

NAMは今始まったばかりの非常に小さい組織でありますが、にもかかわらず、今後のことを考えておかねばならないのです。だから、今日は先ず、組織上の問題を確認しておきたい。第一に、NAMという組織は、今存在している組織——政治的組織だけでなく企業や官庁も含めてですが——と並び立つものではないということです。NAMは諸個人のアソシエーションであり、個人が別の組織に属していても、それをやめる必要はない。むしろ、個人がそれぞれの分散、孤立した組織をつないでいくこと＝アソシエートすること、それがNAMの運動です。だから、NAMに入会して、その集団の力で何かをするということではない。あくまで、個々人がやるほかはないのです。そのことを、私はあらためていっておきたいと思います。NAMに入会すればそれでいいということで、完結してしまうようでは困る。どういうことをやればいいのか、と訊ねられても困ります。皆さんが考えてほしい。皆さんがもっているそれぞれの課題を、協同的に発展させてほしいと思う。

NAMが何か新しいことを始めるわけではない。そういう運動はすでに存在しているのです。生協もあるし、フリースクールもある。「NPOポンポコ」というのもあります（笑）。それは東京の多摩ニュータウンで始まったもので、ＬＥＴＳではないけれども、地域通貨まで採用しているようです。だから、そういう運動は、すでに各地で起こっている。われわれは、それをＮＡＭの支配下に置こうと考えているわけではないし、そう考えるべきでもない。ただ、そのような運動は明確な原理をもっていなければ、必ず潰れる。あるいは資本とネーション＝ステートに回収される。それははっきりしています。だから、原理的な認識が不可欠なのです。

繰り返していうと、現にある運動は、われわれが生み出したものではない。しかし、われわれがなすべきこと、そしてなし得ることは、新たな運動を生み出すというよりも、むしろそれぞれに分散し孤立していることで限界をもつようなさまざまな運動をつなげていくことだと思います。それが、アソシエーションということです。その意味では、われわれが何か新しい運動を提示するというよりも、現になされている運動を考察し、そこから学び、同時にそれを別のベクトルのものとつなげていくことが大切です。それは、別のベクトルの方が大事であるということではない。一つの運動というものは、たとえば、空港建設反対ということなら、それだけを主題にします。ＨＩＶ訴訟であれば、それだけを主題にする。しかし、運動が終わると、それで終わってしまう。残った人たちは議会政党などに吸収されていってしまう。運動は勝利に終わっても、その後の段階において、何も続かない。私が考えているのは、むしろ、そういった運動を、別の次元のものとアソシエートしていくということです。それは個別的な市民運動に、別の次元をつけ加えたり、押しつけるということではない。しかし、どんな個別的問題も同時に別の次元を含んでいるわけです。それらを結びつける主体は個々人です。個人そのものが、さまざまな次元で生きているわけですから。そして、個人を通して、さまざまな次元がアソシエートされるのです。

したがって、NAMのメンバーは、たんにNAMに所属するということではなくて、少なくとも、三つの次元に属さなければならない。それが、「地域系」と「関心系」と「階層系」です。どの次元も重要だと思いますが、もっとも重要なことは、それらが交差するようになることだと思います。たとえば、「地域系」から始めると、それ以上に広がらない。せいぜい、「地域系」のなかの関心領域に閉じられてしまう。一方、「関心系」というのは全国的あるいはグローバルですが、今度は地域性をもたない。「階層系」についていえば、私はジェンダー、マイノリティなどの区別が不可欠だと考えています。しかし、今は人数が少ないので、あまり細かいことをいっても仕方がない。だから、当面、学生と非学生にしか分けていません。学生というものは、やはり、通常の生産関係のなかにいるものとは違うので、その人たちの位相の独自性を考慮する必要があると思います。とはいえ、大事なのは、各人が、一つの系に入れば、必ず別の系にも所属するということです。そのことによって、個人を通じて、さまざまな系が交差するということになります。

地域系に関しては、会員の多い、主要都市を呼び名にしたいと思います。現在、NAM大阪とNAM東京しかありません。その場合、大阪とは、大阪市や大阪府のことではなくて、大阪の「近傍」ということで、関西全域を含みます。そこで、たとえば、NAM京都ができたら、その周辺の人たちはそこに属するわけです。最初、私は県の区分や中国・四国といった地域区分で考えていましたが、試行錯誤ののちに、都市を中心に始めることにしたのです。実はヨーロッパのサッカー・リーグやアメリカのプロ野球のフランチャイズを参考にしました。日本の場合、サッカーも野球もスポンサーの企業があるところを中心にしているので、参考になりません。要は、国家行政区分とは別の観点から、地域を考えることです。

アソシエーショニズムは地方分権主義です。しかし、多くの人が地方分権、中心化の否定といいながら、実際には少しもそうなっていないのです。特に、日本のように、東京にすべてが集中しているところでは、それはたんに空虚な言葉でしかない。そして、地方の復権を唱える人たちも、結局、「中央」の評価を気にしている始末です。ところが、「地方」のなかで、大阪だけが少し違います。大阪はむろん「中央」ではないが、たんに「地方」として片づけられないからです。私が大阪でＮＡＭ結成をしたい、また当面、センター事務局を大阪に置きたいと思うのは、そのためです。外国で始まった思想や運動は東京に先ず移植され、それが地方に移植される。それがこれまでの日本の知的運動のあり方でした。しかし、ＮＡＭは、世界史的な知的遺産をすべて考慮にいれていますが、別に外国産の運動ではない。だとしたら、それは東京で始まるのではなく、「地方」で始まるべきなのです。その意味で大阪を選んだのであって、これを大阪の東京への対抗意識などという、暗黙の中央集権志向の意識に矮小化してはいけない。いずれ、地域系の組織が確立した段階では、センター事務局が置かれる場所は、互選とくじ引きで選ぶことになる、と考えてほしい。

次にいうと、代表者は地域系、関心系、階層系のそれぞれから選出され、彼らがセンター評議会を形成します。その場合、同じ人が二つの代表を兼ねることはできないので、センターには、地域系＋関心系＋階層系の代表者が集まります。だから、地域系で固まってしまうこともないし、関心系だけで固まってしまうこともない。あるいは、学生が従属的な立場に置かれることもないし、地方が従属的な立場に置かれることもない。ＮＡＭは、こういう多元的所属というかたちでやりたいと思います。別の見方でいえば、関心系も階層系も、物理的な地域ではないが、位相空間としてはそれぞれ「地域」なのです。だから、これを、地域の多元的交差、といい換えてもいいと思います。だから、注意してほしいのですが、NAMに入るとき、関心系を選ばなければならないということ、そうでないと、会員登録にはならないということです。その場合、「関心系」といっても、自分は文学に関心がある、音楽に関心があるというようなことでは困ります。ただし、それが出版やプロダクションといった協同的行為の問題に関するならば、話は別です。そういう人は、NAM法律に入ることを勧めます。もちろん、複数のセクションに入っても構いません。また、特に関心系の理論セクションについていっておきますが、ここに入るのは、たんに理論的関心があるというだけでは無理です。そもそも、すべてのセクションが理論的です。理論セクションは、それらを綜合するような理論的研究をやるところです。理論セクションの人には、研究会・講演・ホームページ執筆などの「実践」を分担してもらうので、入るのにはその覚悟も必要です。もっとも、関心系はいつでも変更できますので、入ってから判断してください。

組織原則のもう一つのポイントは、くじ引き制です。いままでの組織はどうしてもツリー型、官僚的な形になってしまう。小さい間はいいが、大きくなれば、必ずそうなる。だからこそ、私はNAMが拡大することを最初から前提して考えているのです。直接民主主義、参加型民主主義というようなことはよくいわれるのですが、なかなかそうはうまくいきません。なぜなら、組織が存続し拡大するためには、たんに下の意見を取り入れるだけでなく、管理する能力をもったリーダーが不可欠だからです。そのために、どうしても、組織は官僚制化してしまいます。たとえば、昔、レーニンが長生きしていたら、スターリン主義はなかっただろうという人たちがいました。それは違う、と私は思う。レーニンが異論をたんに斥けず、たえず議論と説得によって、ことを進めた人であり、スターリン的独裁者とは異質だということを認めましょう。しかし、彼は自分が死んだら、たちまちだめになってしまうような組織原理しかもっていなかった。個人の能力や人格に依存しなければならないような、そして、指導者交代のルールもないような組織原理しか。それが致命的な欠陥です。議会制民主主義は、いかに空疎だとしても、少なくとも、指導者交代のルールがある。だから、ウィンストン・チャーチルは、議会制民主主義は最悪だが、他にそれよりいいものがない、といったわけです。しかし、本当にそうだろうか。

私は、将来において、特に人間性が変わるということを当てにしていません。しかし、私は、人間がどうしても権力を志向する、ということに関して、悲観的ではありません。権力志向があってもそれが意味をもたないようなシステムを作ればよい、と考えているからです。それがくじ引き制です。ＮＡＭは、それ自体、このようなシステムをもっています。具体的には、三名連記の投票で三名の候補を選び、それからくじ引きで決めるというやり方です。そうすると、たとえば、私も当面、センター評議会の代表をやりますが、今後にたとえ私が代表になろうとしても、事実上なれないようになっているのです。再選・三選が禁じられているのではなく、くじ引きによるからです。

このくじ引き制を、皆さんがいる組織（会社でも政党でも労働組合でも）で実行してみると仮定して下さい。私は、権力をもっている人がいても、それはその人が特に有能だからだとは思いません。権力の集中する場にいるから、優秀な能力をもっているように見えるだけです。音楽や数学を別にすると、個人の能力の差異はたかだか相対的なものです。多くは、運、鈍、根、ということで決まるのです。たまたまある構造のなかに置かれると、その人は、あたかもそれが必然的に自分の力によって実現したかのように思いこみます。しかし、実は、それは「運」がよかったからです。くじ引き制は、むしろ、それが「運」にすぎないという事実を自覚させるのです。選挙＋くじ引き制の場合、無能な人が選ばれるという恐れはありません。もちろん、抜群の人が選ばれない可能性が高い。しかし、それは大した問題ではありません。それより、無能な人が権力をもって、あたかも有能であるかのように振る舞うシステムの方が耐え難いし、また、それがしばしば起こっているのです。その上、能力はさまざまな次元で存在します。音楽や数学の天才であっても、しばしば他のことに関してはまったく無能です。別の例をいうと、アメリカの大学では、日本と違って、学長は学問的業績があるよりも、アドミニストレーションの能力のある、比較的若い人が選ばれます。だから、特に尊敬されないけれども、軽蔑もされない。たんに向き、不向きの問題です。別に、これが理想的ということではありません。ただ、システムが違うと、「人間性」が変わるという一例です。

くじ引きの導入は、権力争いを無用にします。「出たい人より、出したい人を」という文句がありますが最後がくじ引きで決まるなら、事前運動も票固めも派閥づくりも無意味であり、結局、「出したい人」が選ばれることになる。権力が集中する場に、偶然性を導入することは、たんに独裁や官僚的固定化を抑えるだけではありません。個人を一次元の能力で判断するのではなく、適材適所に人を選ぶことが可能になる。トップになれないからといって、誰も不満をもつ必要はないわけです。私は、資本制であるかぎり、これが企業（株式会社）などで容易に実行されるとは思いません。しかし、それが実現されたとしたら、官僚化した労働組合による「労働者の自主管理」などよりも、もっと労働者の自主管理に近くなるわけです。また、生産協同組合といっても、どうしても、経営と労働の分離が避けられない。そして、そこに官僚的固定化が生じます。それを防ぐには、選挙＋くじ引き制しかない。要するに、アソシエーショニズムというのは、遠い将来の話ではなくて、身近でありふれたことなのです。このシステムを導入するだけで、日常が一変するはずです。日本で多くの労働者（サラリーマン）が苦痛の日々を送るのは、労働が過酷で給料が少ないとかいう問題よりも、企業において（参加型）民主主義がないからです。

民主的国家においては、国民ひとりひとりが主権的であるとされていますが、それは何年かに一度、総選挙の日だけです。それ以外は、政府（行政権力）のいうことに従わざるを得ない。もちろん、市民運動はそれとは別に、異議を唱え、抵抗することができます。しかし、私がいう参加的民主主義は、そういうものよりもむしろ、人びとが日常的に生きているような組織に関するものです。そして、そこで参加型民主主義を保証するのは、選挙＋くじ引き制というシステムだけだと思います。皆さんの属する組織で、試しに、やってみるといい。たとえば、労働組合や政治組織において先ずこれを実行してほしい。それを拒否するのは、まさに集権主義的・官僚的な組織だということの証です。真に民主主義を実行するといいながら、そもそも、その組織において民主的でないような政治組織が、将来に何を実現するのか。それは今からわかっていることです。

ただし、いまのところ、NAMは会員数も少ないので、くじ引きということには意味がない。とりあえず、意欲的な人たちが中心になって進めていくべきだ、と思います。しかし、近い将来、一定数の人間が集まり、組織が安定した形になってきたときには、このシステムを適用します。われわれの運動は、それ自体NAMの原理の実験でもある。さらに、NAMでは、その内部で、LETS（地域通貨NAM）を採用しようと思っています。NAMでの活動は無償のボランティアですが、実は「タダほど高くつくものはない」のです。ボランティアの奉仕は、奉仕自体によって報われる、とはいえるのですが、必ずしもそうではない。たとえば、事務的な労働をしてもらうとき、私はいつも負担を感じています。個人的にはお金を払いたいぐらいです。しかし、それでは、アソシエーションの運動にはならない。また、自発的な活動は、そのときはいいが、挫折してやめてしまうときには、裏切られた、青春を返せ、というようなことになりがちです。私はかつて文芸批評家として、そのようなことを書いた「挫折」小説をずいぶん読まされましたが、正直いって、アホとしか思えませんでした。しかし、自発的にやったのだから、その責任は当人自身にあると、指導者がいうとしたら、そのような組織は致命的にダメです。運動が持続的であるためには、ボランティアや革命的精神だけでは無理です。ところが、奉仕（贈与）が、一定のお返しを受けるのであれば、こうした問題は起こらないのではないか。しかも、そのお返しが、貨幣ではなく、LETSであることで、互酬制交換の輪が広がることになる。私は、NAMに参加するか否かに関係なく、一般に、市民運動などでもこのやり方を勧めたいと思います。改めていいますが、NAMの目的は、NAMが組織的に強大化することなどではなく、NAM的なものが広がることなのです。

それから、いい忘れましたが、たとえば、「超出的な対抗運動」ということで、いくつかの例があります。一つは、企業をこちら側から作り出すということです。NPO（非営利組織）はいうまでもありませんが、株式会社であっても非資本主義的な企業というものは可能なのです。たとえば、浅田彰と私は、今までやってきた雑誌「批評空間」を休刊し、今後に改めて立ち上げる予定ですが、その経営原理はNAM的なものです。そのために、弁護士の柄木水氏の協力を得ています。これは、新しい法律である投資事業有限責任組合法を利用するものです。簡単にいうと、有限責任の投資組合を主要な株主にすることであって、この形態をとると、今の資本制に有利な法律の範囲においても、非資本制的な企業が簡単にできます。また、投資組合は、一種の銀行として、広く機能します。したがって、新しい「批評空間」という雑誌は、その内容においてよりも、その出版の形態自体において、N

AM的なものの一つの実験モデルになると考えています。そこで得られたノウハウは、すべて公開していきます。たとえば、今の出版産業の危機は、取次・問屋制を解体するところまで行かないと解決できません。そして取次が近いうちに解体されるのは間違いないし、その後に出てくるのは、中小出版社の、あるいは編集者のアソシエーションということになる。われわれの実験は、その場合のモデルケースになると思っています。

近代科学の特徴は、ほとんどこの点が科学哲学者によって無視されていますが、知識が万人に公開的であるということです。近代科学が呪術と異なるのは、何よりも、その点です。その意味で、近代科学は本質的にコミュニズム的なものです。ところが、現在、国家や資本は、科学認識を、特許権や著作権によってますます私有財産化することを進めています。一方、それに対して、Linux のように、知識を無料で公共化しようとする運動も起こっています。私は、それが本来の「科学的」態度だと思います。そして、科学者が「科学的」であろうとすれば、国家と資本に対抗する運動に向かわざるを得ないはずです。

学生運動についても、内在的と超出的の二つのタイプがあります。これまでは、デモをやるとかいうような運動が中心でしたが、私は、一方で、学生が将来、資本制企業で働くことをやめ、しかも、フリーターのようになるのでもなく、非資本制的企業を作り出していく準備をすることを勧めたい。それもまた「学生運動」であると思います。ふつう、「頭脳流出」とは外国、あるいは外国の資本に向かうことを意味しますが、もし頭脳労働力が世界的に、資本制の外へ流出するということが起これば、それは資本にとって致命的な打撃です。

また、学校に関しても、超出的な対抗運動が可能です。たとえば、不登校ということが社会問題になっています。むろん、学校に行かなくてもいい。しかし、「学校に行くな」というためには、それに代わる別の学校を作らなければならない。一方、大学院生の数は激増しているにもかかわらず就職の当てがなく、また塾・予備校も頭打ちになっています。それらの問題を解決するためにも、小学校から大学まで、新たな学校を作り出す必要がある。文部省も、塾と学校の区別をやめるとか、公立校を民営化するなどの案を出してきています。われわれは、それに便乗しかつ対抗する形で、フリースクールを作るべきだと思うのです。それは、さほど難しいことではないと思います。教育の問題といっても、それは教育心理学の問題ではなくてむしろ企業の問題であり、たとえば、お金をどこからもってくるかというような、具体的な問題になります。そうすると、先の出版社を作るときと同じ問題が出てきます。その場合、投資組合もLETSも活用されるようになる。さまざまな次元の問題が相互につながってくる。そのためには、法律家から税理士、会計士まで、さまざまな人びとの力が要る。そういう人たちがすでにNAMに入ってきているわけですが、われわれはそのような知識を共同的に所有していけばいい。もちろん、NAMだけがもつのではなくて、それを公開していくべきです。今述べたことはほんの一例であって、これからの運動の展開のなかで、もっと具体的なことがたくさん出てくるはずです。私自身、そこから学びたいと思っています。

以上のことで、誤解が生じる恐れがあるので、付け加えておきますが、私は労働運動や議会政治を軽視しているかのような印象を与えているかもしれません。しかし、そうではないのです。たとえば、情報資本主義といわれますが、それは他方で「物流」がなければ、というよりも、運輸の労働がなければ存在し得ないのです。一方で、「情報」の流れが増大すればするほど、他方で、単純な肉体労働が増大している。そのことを忘れている人たちは、極楽トンボです。その意味で労働運動は、旧来とは違った部門で、重要になってきます。また、企業創出の例でも明らかなように、資本制経済は、法的な規制によって保護されています。たとえば、株式会社は特権的に優遇されている。したがって、より多く非資本的な企業を成立させるためには、規制廃止や立法が必要であり、議会でそれをやるほかありません。ただし、それは政府や官僚や政党に面倒を見てもらうというような考えとは、まったく違います。

それから、いっておきたいのは、われわれの運動はインターネットなしにできないということ、すなわち、ＮＡＭに参加する人はコンピュータをもつか、少なくともアクセス可能な状態にしてほしい、ということです。第一に、これはＮＡＭの財政問題に関わるのです。手紙やファックスで通信するだけの金も人手もありません。第二に、各地に住んでいる人たちが迅速に連絡しあうためには、インターネットが不可欠です。センター評議会はいうまでもなく、関心系、地域系のそれぞれのセクションで、たえず、全員によるメーリング・リストによる連絡や討議が行われます。その結果は、ホームページで紹介される。だから、コンピュータは不可欠なのです。自分はどうしても苦手だという人がいますが、ＮＡＭに問い合わせれば、技術的に助けてくれる人がいますので、連絡してください。

最後に、一つ、この場で強調しておきたいことは、自分は何をやればいいのか、どうすればいいのか、そういった問いを、私やＮＡＭ事務局に対して、してほしくないということです。それぞれの人が、自分の関心の範囲において、あるいはそれを超えて、創意工夫してやってほしい。そういう人たちのアソシエーションとして、ＮＡＭがあるのです。

（二〇〇〇年六月三〇日、エル・おおさか〔府立労働センター〕で行なわれた「ＮＡＭ結成総会」での発言に、大幅に加筆・修正を加えたもの）

FA宣言

電子的地域通貨Q（「円」に対抗して「球」と命名された）の問題をきっかけにして、NAMがもつ問題性が危機的なかたちで奔出した。その結果、さまざまな改革案が出されたが、たんなる改革では、NAMを蘇生させることはできないという結論に達した。NAMの代表団は協議の結果、NAMを解散することを提案した。私はそれに賛成し、代表団の英断に敬意を表する。この提案の論旨はきわめて明快である。しかし、これは、NAM外の人びとにとって、唐突に見えるだろう。だから、私は、この提案の背景を説明するとともに、今後の展望について、私見を述べておきたい。

本来、「NAM原理」は、さまざまな運動体（アソシエーション）をアソシエートする原理として考えられたものである。つまり、そうした運動体が先にあることを前提している。そして、それらが、ばらばらにあるために孤立したり低迷してしまう状態を脱するために、NAMを形成する、というのが、あるべき順序であった。

しかし、実際には、そのような個々の運動体がほとんどない状態で、NAMが始められた。というより、むしろ、運動を生み出すためにＮＡＭが始められたように見える。にもかかわらず、運動といえるほどのものがほとんど起こらなかった。そのため、ＮＡＭの組織機構の維持と運営が運動と取り違えられ、また、Ｑのように非現実的な空想にふけることが運動と取り違えられることになったのである。それは、すでにそれぞれ個々の超出的な運動体に参加していた人たちを疎外してしまった。

超出的な対抗運動だけでなく、内在的な対抗運動も起こらなかった。内在的な対抗運動が起こらないのはＮＡＭの責任ではない。日本全体がそういう状態にあるからだ。たとえば、アメリカ合衆国によるイラク侵攻が近づいているのにデモもろくに起こらない所は、日本だけだろう。しかし、そのような政治的風土をわずかでも変えることができなかったことには、ＮＡＭも責任がある。超出的な運動を唱えて、内在的な対抗運動、政治的な運動を回避したからである。

どんなに今のＮＡＭの組織機構や運営の仕方をいじくっても、プロジェクトも運動も、起こるはずがない。それゆえ、ＮＡＭを一度解散し、会員が自由な個人 free agent として、あらためてアソシエーションを形成することから始めるほかない。そうして、さまざまなプロジェクトや地域運動がそれぞれアソシエーションとして成長したのちに、その必要があれば、あらためて、「アソシエーションのアソシエーション」としてのＮＡＭを結成すればいい。

ＮＡＭほどの規模の組織が解散することは異例であり、もったいないと思う人がいるだろうが、そのようなことを平然とできるということが、アソシエーショニストの面目である。その意味で、ＮＡＭは解散することにおいて、まさにＮＡＭ的たらんとしている。むしろ、ＮＡＭ的なものが存続するのは、現実のＮＡＭ組織を解消することによってである。

具体的にいえば、ＮＡＭの解散とは、現在のＮＡＭから、事務局、評議会などのすべての上部機構をとりさることである。現在の関心系（注：協同組合やホームレス支援など多様な個別プロジェクトのこと）や地域系（注：地域メンバーのアソシエーション）の諸組織は、それぞれ独立したアソシエーションを形成する。もしくは、消滅する。入会手続きや運営などの仕事は、それらが独自にやることになる。

次に、それらの連絡会議 Free Associations が作られる。これはゆるやかな相互連絡の機構であって、NAMの評議会や事務局のようなものではない。また、FAは、「NAM原理」のようなプログラムを共有しない。したがって、これまでNAMと関係のなかった団体も加入してよい。

FAはホームページをもつ。しかし、それはこのNAMのサイトのようなものではない。FAは、参加したアソシエーションがそれぞれもつホームページへのリンクと案内、また、運動や相互連絡のための掲示板をもつだけである。それらの編集は、参加するアソシエーションが交代で担当する。

NAMとFAの違いの一つは、次の点にある。NAMにおいては、参加する者は個人だけであったが、この Free Associations には、団体のみが参加する。また、NAMがカントのいう統覚をもつものであるとすれば、FAは、それをもたない自由連想 Free Association のようなものである。もしここから「統覚」を求める動きが起こってくれれば、NAMのような組織を再結成してもよい。しかし、けっしてそれを急いではならない。

私自身は、協同組合をはじめ、いくつかのプロジェクトに参加するつもりである。なお、「NAM原理」は、もはや現実の組織と無縁となる以上、私の著作として自由に書き直すということにさせていただく。

（二〇〇二年一二月、ウェブで発表）

あとがき

柄谷行人

NAMという組織は二〇〇二年末に解散された。しかし、NAM、すなわち新アソシエーショニズムの運動は、別のかたちをとって続いてきた。私自身をふくめて、当時のメンバーが各自さまざまなやり方で、その運動を続けてきたのである。ただ、私はそれらをあえて統合しようとはしなかった。だから、NAMが続いているとは、誰も気づかないだろう。私もそれを口にしなかった。

NAMについてあらためて考えるようになったのは、二〇一〇年代である。そのきっかけを与えたのは、東日本大震災・福島原発事故以後の政治状況、特に、デモの勃発である。それは長く日本に見られなかった現象であった。そこに参加しながら、私は以前になかったような可能性を感じていた。その時点で、連絡網として、一つのアソシエーションが生まれた。associations.jp（通称アジャパー）である。

具体的にそのような運動を推進したのは、かつて『NAM原理』を出版した太田出版の高瀬幸途氏やインスクリプト社の丸山哲郎氏であった。また、彼らが編集していた季刊誌『社会運動』の企画で、私は「NAM再考」を論じた。そして、それらを単行本として出版するための最終的準備にとりかかった。ところが、それを延期するほかなくなった。二〇一九年四月に、高瀬氏が急逝されたからである。

私は彼の葬儀で、以下のような弔辞を読んだ。それをここに収録することにしたのは、われわれの長年の関係や近年の状況がよく示されていると思ったからだ。

弔辞

これまでの人生で、私は葬儀で弔辞を読んだことが二度あります。その二度とも、高瀬さん、あなたが来てくれました。一人は、小説家の中上健次で、もう一人は、太田出版で雑誌「批評空間」の編集長であった内藤裕治です。おおよそ三〇年前、そして、二〇年前のことです。彼らは癌で長く闘病したあと亡くなりました。しかし、あなたは突然、亡くなられた。そして、私も歳をとった。だから、このたび、私が受けた打撃はとりわけ深刻です。

ふりかえると、あなたと私の縁が深くなったのは、平成の初めのころ、あなたが「批評空間」の発行を引き受けてくれたときからです。それまで「批評空間」は、別の出版社から出ていたのですが、さほど評判にもならなかった。太田出版であなたが育ててくれて、注目を浴びるようになったのです。

次に、私は今世紀に入って、大阪でNAM（新アソシエーショニスト運動）を始めたのですが、それを陰に陽に支えてくれたのも、高瀬さん、あなたでした。たとえば、『NAM原理』を刊行してくれた。その中にはあなたの論文も入っています。また、NAMの事務局を太田出版でやってくれた。私がお願いしたのではなく、私の知らないうちにそのようにはからってくれたのです。また、NAM解散後、あなたはアソシエーションの運動を、生活クラブ生協において続けてこられた。おそらくそこでも、目立たないが重要な役割を果たしてこられたのだ、と思います。

また、二〇一一年の東日本大震災のあと、私は反原発のデモに参加し始めたのですが、このときも、あなたはassociations.jpという運動体を結成し先頭に立ってくれました。近年私は、あなたの提案で、NAMについてふりかえり、それを歴史的に検討する仕事を始めました。そして、解散とともに絶版にした『NAMの原理』を再検討し、あなたのインタビューとともに刊行する企画を進めていました。これは、今後に必ず実現させる所存です。

ふりかえれば、あなたは、私より年少であるのに、実際は、やんちゃな弟を見守る、優しい兄のような人でした。かつてある人が、柄谷はドン・キホーテで、高瀬はサンチョ・パンサだといいました。実際、その通りだと思います。もしサンチョがいなくなったら、ドン・キホーテはどうするのでしょうか。それが今の私の状態です。平成の初めに深まった私たちの縁は、ちょうど平成の終わりに終わったように見えます。しかし、それは終わっていない。あなたがつねに考えておられた未来の社会は、必ず今後に実現される、と思います。

（二〇一九年四月二九日、於高円寺公益社）

私は本書を先ず、高瀬氏に献げたい。さらに、二〇一五年に亡くなった飛弾五郎氏に。彼はその天性の陽気な活動力をもって、NAMやアジャパーで私を支えてくれた人であった。そして、もう一人の人物にも本書を献げたい。それは、右の弔辞でも言及した内藤裕治氏である。そのときの弔辞を、ここで掲載しておきたい。ある意味で、これは「批評空間」やNAM結成に関する史料だからである。

弔辞

私は、内藤君が代表取締役をしていた批評空間社で、共同で会社を経営し、季刊誌を編集し、また、著書を出版していた者として、弔辞を述べさせていただきます。

物を書きながら、私はこれまで多くの編集者に会いました。編集者が物書きにとっていかに重要な存在であるかを、私はいつも感じていました。私が本当に深くつきあった編集者は多くはありませんが、物を書いたり本を出したりする際には、出版社でなく、そのような編集者とのパーソナルな関係だけでやってきました。そのことで損をしたかもしれませんが、私にとってはどうでもよかったのです。

内藤君、君は、私が深い付き合いをもったそのような編集者たちの一人です。その中で、君との関係が特別に深かった、とは私は申しません。しかし、ひとつだけ、特別なことがあるのです。それは、私が君に、批評空間の編集をするように頼んだということです。普通、私が編集者を選ぶということはありません。その逆に、編集者が私のところにやってきて、徐々に深い関係ができてくるのです。しかし、内藤君の場合はちがう。私が君を選んだのです。

すこし詳しくいうと、私は一九八八年に「季刊思潮」という雑誌をはじめました。それは、思潮社の編集者、山村武善氏に誘われたからでした。浅田彰氏が編集同人として加わったのは、その後です。「季刊思潮」が二年で終わったのちに、私は一九九一年、山村氏とともに福武書店に移って「批評空間」をはじめ、次に高瀬幸途氏に誘われて、太田出版に移りました。ところが、一九九四年、山村氏が病気になり、「批評空間」のような激務をやれないこと、そして、彼にふさわしい仕事が他にあったということで、辞職することになりました。山村氏と一緒に、私は新たに編集者を探し始めたのですが、そのとき、私はふと内藤君のことを考えたのです。

内藤君と話したのは、実は、たった一度だけでした。君は雑誌「現代思想」の編集者として、私のところにインタビューに来たことがありました。そのときの、君の人なつこくて活発な態度、質問の的確さ、談話のまとめ方のあざやかさに、強い印象を受けたのでした。しかし、私はそれ以外に君について何も知らなかったのです。私はただ、自分の直観にかけて君を選んだのでした。君は驚いたはずです。君にとって、それは運命的なものであったでしょう。そのことが、君にとってよかったのかどうか、私にはわかりません。もし私が誘わなかったら、君の人生はかなり違ったものになっていたでしょう。というわけで、私は君に責任を感じています。

内藤君は、私の予期した以上に優秀でした。難解な論文であろうと、小説であろうと、君は実に的確にその要点をとらえ、他人に伝えることができました。私は何についても君に相談することができました。君には、日本の物書きや学者や編集者にないような、遠くを見る視点がありました。おそらく、イギリスの出版社で働いた経験が君にそれを与えたのだと思います。それは、たんに編集だけでなく、出版や流通の形態そのものを考える視点を君にもたらしたと思います。その意味で、それは、現在の批評空間社で君がやろうとしたことにつながっています。

内藤君、君は自分自身が若かったにもかかわらず、多くの若い物書きに対して、父性的な役割を、時には、母性的な役割を果たしました。君が来て以来、批評空間では、それまでばらばらにあったさまざまな志向が互いに結びつくことになりました。私自身、そこから多くのヒントを得たのでした。たとえば、私は、生産協同組合の問題や地域通貨の問題を、内藤君を通して学びました。私は、君を「批評空間」に呼んだことが君の運命を変えたといいましたが、そのことは私にとっても運命的なことでした。

私は一九九九年、まさに世紀末の時点で、「批評空間」でそれまで一〇年間やってきたことについて、一種の敗北感を感じていました。「批評空間」は人気があったし、そのまま続ければいいではないか、と思う人が多かったでしょう。しかし、私はそう思わなかったし、内藤君もそう思わなかった。私は、それまでの批評や学問の形態に強い不満を感じていました。そして、実践的に何かをすべきであると思いました。そういう気持は、私と内藤君の間で徐々に育まれてきたものです。

私は二〇〇〇年にNAMという運動をはじめました。もちろん、内藤君も最初から熱心に参加してくれました。また、Qという名の地域通貨の開発に関しても、内藤君の熱心な関与が大きな役割を果たしています。NAMやQの形成において、内藤君の貢献がいかに大きかったか。それは、その後に内藤君がすでに進行していた病気のせいもあって疲れ、批評空間社の仕事が精一杯という状態になったため、目立たなくなっていますが、ここで私は特筆しておきたいと思います。私も、西部忠も、内藤君なしには、NAMやQに到達することはなかっただろう、と。

では、「批評空間」をどうするのか。私も内藤君も、もうそれまでのようなかたちで、「批評空間」を出す意義はないと考えていました。むしろ、もっとアカデミックにするなら続けてもいいかもしれない、と思ったのです。だから、私は当初、内藤君がある大学の出版部に入って、「批評空間」の続きをやれるようにはからいました。しかし、結局、わかったのは、内藤君にはそういう窮屈な勤め人の仕事が向いていないということでした。

最終的に、私は内藤君が好きなようにやればいいと、思いました。しかし、「批評空間」をやるなら、以前と同じであってはならない。あるいは、それまであったような雑誌や出版社とは異質でなければならない。そして、日本の出版業界を支配している取次制度を拒否しよう。編集者や小出版社のアソシエーションを作ろう。資本制の外に出るような一歩を踏み出そう。——現在、批評空間社がやっていること、あるいは、そのアイデアは、内藤君がやるということでできあがったものです。実際には、君が病に倒れたことから、そして、病が判明するまで長く体調不良であったことから、それはほとんど実現されていません。

理念が大事であり、理論が大事である。しかし、それを実行する個々の人間がもっと大事なのです。第三次批評空間が目指すような仕事は、内藤君なしにはできない。私がいようと、浅田彰がいようと、それは内藤君なしにはできません。だから、私は君が回復することを本当に心から願った。私は今年アメリカに行く予定を取り消して、日本に残りました。私が日本にいれば、君が回復するかもしれない、と思ったのです。しかし、君は死んでしまった。こんなに残念なことはありません。

君なしに、君がやろうとしたことを実行できるだろうか。そう思うと、いかに君が稀有なすばらしい人であったかをつくづく思います。内藤君、もし批評空間という名が残るなら、君の名はそれとともに残るでしょう。ＮＡＭやＱが発展するなら、その創始者の一人として、君の名が残るでしょう。しかし、私は、何よりも、君に生きていてほしかった。また一緒に話をしたかった。一緒に野球をしたかった。

内藤君。私は、われわれに多くのことをもたらしてくれたことで、君に深く感謝しています。ありがとう。内藤君、どうか、安らかにお休みください。

（二〇〇二年五月二一日）

最後に、この場を借りて、さまざまなアソシエーション活動において私を支えて下さった方々に、感謝申し上げる。とりわけ、NAMおよび批評空間社の立ち上げに多大な協力をしてくれた浅田彰氏、批評空間の編集・事務・事後処理を手伝ってくれた杉浦直行氏に、お礼を申し上げる。

本書の刊行にあたっては、作品社の内田眞人氏・福田隆雄氏のお世話になった。厚く感謝する。高瀬氏の発案でこの本を企画していた段階では、「NAM再考」と題していたのだが、昨年秋、作品社で出版することに決まったあと、内田氏から「ニュー・アソシエーショニスト宣言」にしてはどうかという提案があった。過去の検討ではなく、未来に向かうことを強調したいということであった。私も同感であった。というよりむしろ、未来のほうがこちらに向かってくる、と感じている。

二〇二〇年一一月一七日

［初出一覧］

序文―――（書き下ろし）

《Ｉ》ＮＡＭ（ニュー・アソシエーショニスト運動）再考―――（隔月刊『社会運動』市民セクター政策機構／インスクリプト、2014年9月号〔414〕～2015年3月号〔417〕、聞き手：高瀬幸途）

《II》さまざまなるアソシエーション

1、協同組合について―――（隔月刊『社会運動』市民セクター政策機構／インスクリプト、2015年5月号〔418〕、7月号〔419〕、聞き手：加藤好一）

2、アソシエーションとデモ

序文―――（書き下ろし）

1…日本人はなぜデモをしないのか―――（京都造形芸術大学〔2008年11月27日〕・早稲田大学〔同年12月26日〕での講演。『柄谷行人講演集成1995-2015 思想的地震』〔ちくま学芸文庫、2017年〕に収録）

2…二重のアセンブリ―――（「週刊金曜日・臨時増刊――さよなら原発 路上からの革命」2012年9月24日）

3…デモの始まり

（1）デモでのスピーチ―――（9･11原発やめろデモ〔新宿駅アルタ前〕でのスピーチ、2011年9月11日）

（2）デモと哲学の起源―――（『哲学の起源』が2012年 紀伊國屋じんぶん大賞を受賞した際の受賞の言葉）

（3）デモとマヌケ―――（朝日新聞・書評、2016年9月17日付）

（4）ＮＡＭとマヌケ―――（高円寺商店街の再開発に反対する集会〔高円寺中央公園〕でのスピーチ、2018年9月23日）

4…学生運動とは何か―――（台湾・新竹交通大学での講演、2014年11月12日）

付録

ＮＡＭの原理―――（『ＮＡＭの原理』太田出版、2001年）

［付］海外版への序文―――（2001年、ウェブで発表）

ＮＡＭの結成のために―――（2000年6月30日、エル・おおさか〔府立労働センター〕で行なわれた「ＮＡＭ結成総会」での発言に、大幅に加筆・修正を加えたもの。前出『ＮＡＭの原理』に収録）

ＦＡ宣言―――（2002年12月、ウェブで発表）

あとがき―――（書き下ろし）

[著者紹介]

柄谷行人(Karatani Kojin)

思想家。1941年、兵庫県尼崎市生まれ。東京大学経済学部卒業。同大学大学院英文学修士課程修了。法政大学教授、近畿大学教授、コロンビア大学客員教授を歴任。1991年から2002年まで季刊誌『批評空間』を編集。

New Associationist Manifesto

ニュー・アソシエーショニスト宣言

2021 年 2 月 10 日 第 1 刷発行
2021 年 6 月 10 日 第 2 刷発行

著者——柄谷行人

発行者——和田 肇
発行所——株式会社作品社
102-0072 東京都千代田区飯田橋 2-7-4
Tel 03-3262-9753 Fax 03-3262-9757
振替口座 00160-3-27183
http://www.sakuhinsha.com
編集担当——内田眞人・福田隆雄・田中元貴
本文組版——デルタネットデザイン：新井満
装丁——小川惟久
印刷・製本—シナノ印刷㈱

ISBN978-4-86182-835-5 C0010